La mañana
debe
seguir gris

Silvia
Molina

cal y arena

Primera edición: *Ediciones Océano, S.A.*, 1988.
Tercera edición: *Cal y arena,* enero, 1993.
Cuarta edición: *Cal y arena*, junio, 1994.

Portada: *Cal y arena.*
Ilustración: *Claude Monet, El parlamento de Londres,* (1904).
Fotografía: *León Rafael.*

© Silvia Molina.
© Aguilar, León y Cal Editores, S.A. de C.V.
Mazatlán No. 119, Col. Condesa. Delegación Cuauhtémoc.
06110 México, D.F.

ISBN: 968-493-086-0

IMPRESO EN MEXICO

*A Elena Poniatowska, Hugo Hiriart
y Claudio*

Mujer, mujer,
mirándome, ¿viste algo? ¿pensaste que podías ver algo?
¿Alguna pequeña señal? ¿La viste, la viste?
Mujer, "niña extraviada", "bella muchacha sin libertad",
    frases manoseadas,
¿Te sentiste conmigo la "niña extraviada"? ¿La "bella mu-
    chacha sin libertad"?
Trazando la tortura, fingiendo la tortura, ¿te torturabas más?
¿Te sentiste la chamaca pálida que caminaba a mi lado
haciendo muecas, y de la cual no te hablé?
¿Quién creíste que eras? ¿Quién creí que era yo?

de *La bella durmiente*.

José Carlos Becerra

10 de noviembre

Conozco a José Carlos Becerra.
Roma: Una manifestación en favor del divorcio, organizada por la "Liga Italiana por el divorcio", se realiza hoy aquí. Los manifestantes desfilan pacíficamente con carteles frente a la Cámara de Diputados.

11 de noviembre

Cena en casa de José Carlos.
Casi me secuestra, es un poeta.
Saigón: Tropas norvietnamitas atacan hoy una base de artillería norteamericana.

14 de noviembre

Paseo por Londres en compañía de mis amigas.
México: Elenita Subirats derrota a Cecilia Rosado en dos sets consecutivos: 6-2 y 6-0.

17 de noviembre

Mis amigas nos abandonan. (A Londres y a mí.)
Praga: Estudiantes checoslovacos rinden homenaje ante los monumentos de las víctimas de la represión nazi y ante la tumba de Jan Palach, quien se inmoló como protesta por la ocupación soviética.

18 de noviembre

Me doy cuenta de que la estancia en el departamento de mi tía no será del todo agradable, además no puedo dormir en el sofá. Pero tendré que ir acostumbrándome. (A mi tía y al sofá.)
Madrid: Cinco extranjeros son detenidos bajo la acusación de poseer y distribuir libros y películas pornográficos.

21 de noviembre

Mi pariente más cercano me vigila constantemente.
Londres: El diario Daily Telegraph dice hoy que el gobierno brasileño pretende acallar la oposición de los
dominicos y los estudiantes mediante la tortura y la
cárcel.
El Apolo 12 vuelve a la Luna.

22 de noviembre

Visito con José Carlos la casa de Dickens. Me gusta;
me gusta mucho. (José Carlos, por supuesto.)
Dallas, Texas: Kennedy cumple seis años de ser asesi-
nado.

23 de noviembre

Ojalá que me hable pronto.
Francia: De Gaulle no festeja hoy su cumpleaños.

29 de noviembre

Recorremos juntos la *Tate Gallery*. Sí, creo que sí: estoy enamorada.
Londres: ¡Se encuentra en esta ciudad una extranjera
enamorada de un poeta!

1, 2, 3, 4, 5, 6, 7, 8, 9, 10, 11, 12 de diciembre

Nos vemos a escondidas y tengo tantos problemas que
no he tenido tiempo de ver qué es lo que pasa en el
mundo.

13 de diciembre

No me ofrece nada, pero después de todo, ¿qué puedo
ofrecerle yo?
Londres: John Lennon y su esposa protestan por la ac-
titud inglesa hacia la guerra entre Biafra y Nigeria.

14 de diciembre

Voy al departamento de José Carlos decidida a todo...
Regreso apesadumbrado.

17 de diciembre

¡Soy la mujer más feliz del mundo!

18 de diciembre

Voy a consultar al médico. Tengo fundados temores.
Más tarde: soy tranquilizada.
París: Huelga de luz por algunas horas.

19 de diciembre

¡Es increíble! Quiero a José Carlos y voy a Windsor
con un inglés. ¿Cómo puedo enredarme en esa forma?

20 de diciembre

Se celebra la Gran Posada.
San Sebastián, España: Las provincias vascongadas se
estremecen con las huelgas ocurridas en empresas me-
talúrgicas. Ahora hay diez mil obreros en huelga, en
huelgas solidarias.

21 de diciembre

Leo en un diario de esta ciudad que Jacqueline Onas-
sis llega a Londres a pasar las fiestas navideñas elegan-
temente vestida. ¿Dónde las pasaré yo? ¿Cómo?

24 de diciembre

Hoy es Navidad y no hay nada que me haga aceptarlo.

26 de diciembre

Para mí, hoy es Navidad: estoy con José Carlos.
Washington: Funcionarios de la Agencia de Informa-
ción de este país piden a la Unión Soviética que termine con las interferencias radiofónicas a las emisiones
en idioma ruso de la *Voz de América.*

29 de diciembre

Siempre que estamos juntos José Carlos cocina y lo
hace muy bien.

París: José Fores, refugiado español a quien el 24 de noviembre de 1968 le fue injertado un corazón, muere hoy.

31 de diciembre
No entiendo cómo pero cenamos en la casa de Hugo y Lucinda.

Copio estos versos de *Relación de los hechos:*

Nos entregamos por un instante al *instante*
por un momento dejamos de existir en todos los sitios
    donde nos recuerdan o donde nos olvidan,
las leyes de la ciudad no nos tocan,
por un instante somos *los otros,*
aquellos dos en los que tanto soñamos.

1970

1 de enero

José Carlos esconde mi bolsa para que me quede con él. Eso quiero hacer, pero ¿y después?

2 de enero

Me da la llave de su departamento. Para variar, no voy a la escuela.
El Salvador: Hay epidemia de disentería.

3 de enero

Llevo su ropa a la lavandería mientras él escribe.

4 de enero

Le gusto a Marlo y Cristina no lo sabe.
México: Dieciséis semanas de la película *Krakatoa, al este de Java,* en el cine Diana.

6 de enero

Si pudiera decirle a Cristina la verdad respecto a Marlo...
Sao Paulo: Los esponsales de Manuel Bezerra, sacerdote católico, con Deise Jamarco de 18 años, constituyen el acontecimiento del año.

7 de enero

Tengo el firme propósito de ir a la escuela mañana.
Tokio: El ex embajador japonés Ichiro Kawasaki, quien fue destituido de su cargo por haber escrito un libro que criticaba a su país, vuelve a la Argentina donde ejercía su cargo, pero esta vez lo hace como director de un equipo japonés de futbol.

8 de enero

Vamos al cine. A veces es duro conmigo, pero dice que

es porque me quiere.

Edimburgo, Escocia: El Dr. Manning opina que valdría la pena ofrecer una recompensa de mil doscientos dólares a las personas que accedan a ser esterilizadas.

9 de enero

Hoy sí salgo camino a la escuela.

10 de enero

Recorremos Londres por todos sus rincones.

11 de enero

José Carlos quiere que me decida a vivir con él.

México: Importante y progresista empresa solicita secretaria con los siguientes requisitos: No mayor de 25 años. Buena presentación y trato. Rapidez en tomar dictados. Dominio del idioma inglés.

16 de enero

Tomo las pastillas con regularidad.

Moscú: La alegre Moldavia y sus exquisitos vinos constituyen un problema para el Kremlin que contempla con ojos tristes que en esa pequeña república soviética se trabaja poco y se bebe mucho.

17 de enero

Voy a buscar trabajo. Es urgente.

Boston: Las siamesas Kobeirski que fueron operadas el 25 de noviembre para separarlas son dadas de alta.

18 de enero

Tengo una amiga. Se llama Patricia.

México: Faena de Manolo Martínez.

22 de enero

Quisiera escribir un libro aunque él no lo leyera.

Santiago de Chile: El líder marxista Salvador Allende

es postulado como candidato a la presidencia de la República.

23 de enero

José Carlos cocina delicioso.
Londres: Siete de cada diez ingleses opinan que la maxifalda no es práctica (sin precisar que es lo que entienden por "práctica").

25 de enero

Estoy bajo el efecto de una droga. No sé qué es.
Johannesburgo, Sudáfrica: Se prepara un pastel que cuesta 12 500 pesos y que pesa 100 kilogramos, para la boda del famoso Dr. Christian Bernard con Bárbara Zoeller.

29 de enero

Mis días son una lucha constante conmigo misma y siempre me respondo que lo quiero.
Badajoz, España: El hombre más alto del mundo, Gabriel Eslovomenjai (2.61 metros y 200 kilogramos de peso), llega a esta ciudad para someterse a un reconocimiento médico.

3 de febrero

José Carlos empieza a planear su viaje por Europa.
¡Pensar que no tengo ni cincuenta dólares!
Gales: Muere a los 97 años Bertrand Russell.

5 de febrero

Hablamos mucho, mucho. Casi me quedo en su departamento. Le prometo que trataré de alcanzarlo en Bilbao, pero lo veo muy difícil.

12 de febrero

Tiene muchos problemas con el inglés y dice que me va a exigir ser su intérprete oficial. ¿Quién será el mío?

pues nunca voy a la escuela.
Londres: El príncipe Felipe va a México.

13 de febrero

Cristina está enamoradísima de Marlo. Si supiera...

14 de febrero

No entiendo cómo es posible que José Carlos sepa tanto de todo.

17 de febrero

No dejo de pensar que pronto te irás.
México: Se encuentra una ofrenda azteca en la estación Pino-Suárez del metro.

18 de febrero

Hay posibilidades de trabajo.
Nueva Orleans: La aspirina es señalada como un contaminante.

20 de febrero

Viviré con Patricia.
México: Llaman a Palafox a la Copa Davis.

26 de febrero

No lo he visto desde hace días. ¿Con quién estará saliendo?
Londres: John Lennon dice que le toca el turno a Picasso de que le allanen su exposición.

7 de marzo

Soy profesora de español.
Oaxaca, México: Multitudes contemplan el eclipse solar.

9 de marzo

Me quiere, de eso estoy segura.

11 de marzo

Paseo por el bosque con Marlo. No sé qué voy a decirle a Cristina.

12 de marzo

Es inevitable. Pronto se va. No quiero pensar qué va a ser de mí durante ese tiempo.

16 de marzo

Todo el día encerrados. Hacemos un pacto: ¡Querernos toda la vida!

24 de marzo

Insiste en que puedo alcanzarlo. Me da los nombres de los lugares donde me esperará.
Despedida.

25 de marzo

Sale de Londres.
Desolación...

31 de marzo

Me esperas en Bilbao pero no llego. Día tras día consulto el mapa buscando tus pasos.

11 de abril

Ya no tiene mucho objeto escribir todo esto. ¿Dónde estás en este momento?
Londres: Los Beatles anuncian su separación. Consternación general.

21 de abril

Afortunadamente estoy ocupada con las clases.
Londres: El gobierno británico imprimirá sellos con la efigie de varios personajes de Dickens, con motivo del primer centenario de la muerte del autor.

3 de mayo

Mis días transcurren lentamente. Voy de mi departamento al de Patricia a dejar algo de mi ropa; de allí a la escuela y después de clases siempre me invento algún quehacer.

Santiago de Chile: Muere un bebé bicéfalo a los 15 minutos de haber nacido.

16 de mayo

Le escribo a mi mamá que me mudo.

El Cairo, Egipto: Siguen las dificultades con Israel.

27 de mayo

Brindisi, Italia: El poeta mexicano José Carlos Becerra —nacido en Villahermosa, Tabasco, el año de 1937—, muere hoy en un accidente automovilístico —a los treinta y tres años—, en las cercanías de San Vito de los Normandos. Conducía un coche de segunda mano, con el que tomó una curva a alta velocidad, perdió el control del automóvil, rompió el muro de protección y el vehículo cayó en una barranca frente al mar. Murió instantáneamente por fractura de la base del cráneo.

LA MAÑANA DEBE SEGUIR GRIS

Puedes fingir que estás fingiendo, puedes simular que eres tú,
que es tu deseo y no tu olvido tu verdadero cómplice, que
tu olvido es el invitado que envenenaste
la noche que cenaron juntos.
Puedes decir lo que quieras, eso será la verdad
aunque no puedas ni puedan tocarla.

Es noviembre. Desdoblamos el cuello de los abrigos, bajamos la mirada y mientras caminamos, nuestros pies hacen una extraña mezcla en la banqueta. "Se los dije, nos hubiéramos comprado unas botas". La estación de Paddington se ha quedado atrás y al ser consultado un anciano vendedor de periódicos, *"Queensway? Please!"*, apunta con su dedo hacia adelante.

Llego con mis dos amigas. Una mujer morena, de frente amplia nos abre la puerta y sus ojos grandes y brillantes nos declaran su amistad.

—Pasen, pasen. Las estábamos esperando, ¿no se perdieron?

—¡Hola!

—Mucho gusto.

—¡Bienvenidas!

Dejamos los abrigos en el perchero de la entrada que me recuerda de alguna manera la casa de mi abuela en México; y sé que de hoy en adelante veré todo tipo de percheros en Londres. Atravesamos por un pequeño corredor hacia la sala y al pasar cerca de la cocina mis compañeras suspiran. Yo también pienso en el sacrificio de nuestros estómagos a lo largo del viaje y saboreo como ellas deseosa de comer ya. Una de mis amigas se adelanta.

—El es Hugo Gutiérrez Vega —nos dice.

—Qué tal.

—Buenas tardes.

Un hombre joven de mirada infantil se levanta de su

asiento. Hugo hace un gesto para indicar que nos sentemos al mismo tiempo que nos lo presenta; es José Carlos Becerra, quien sacude la cabeza para quitarse un mechón de pelo que le cae por la frente hacia los ojos y nos regala una sonrisa muy franca.

—¿Qué quieren tomar?

—Jerez, por favor.

—¿Desde cuándo están aquí? ¿Qué planes tienen?

—Les hablamos anoche, pero tenemos tres días de haber llegado. Hemos estado turisteando, tú sabes. Desgraciadamente salimos para México el lunes próximo, pero ella se queda —dice refiriéndose a mí.

—Vas a estar feliz; ésta es una ciudad perfecta para vivir, ya verás.

—Por eso quise que ella los conociera —agrega mi amiga.

Entonces José Carlos se dirige a mí:

—Mira qué suerte. Yo tengo poco de haber llegado y también vine recomendado con Hugo. ¡Son geniales! Una vez que llegas aquí, ya no puedes escapar, siempre regresas.

—¿Dónde vas a vivir?

—En casa de una tía. Ustedes deben conocerla, no han de ser muchos los mexicanos que trabajan aquí.

—¿Ya estás con ella?

—No, no sabe que ya llegué. Me presentaré en su departamento el lunes, cuando se hayan ido ellas. A ver qué le invento.

La conversación nos va llevando por Europa, nuestras aventuras, el trabajo de Hugo, la política en México, las ocupaciones de mi tía, las costumbres inglesas, nuestra dificultad para entender el idioma, hasta que Lucinda, la esposa de Hugo, nos indica que pasemos a la mesa.

El comedor forma parte de la sala en la que estamos, hay libreros por todas partes. Me sientan frente a José Carlos. Dos veces hace que quite la vista de él: no mira su plato. No comprendo cómo puede verme así, comer y participar con tal entusiasmo en la plática.

Afuera, no sé cuándo, ha dejado de nevar y pienso si me gustan esas gotas que empiezan a caer. Intento ir a la sala a tomar el café con los demás, pero José Carlos me interroga y nos volvemos a sentar los dos a la mesa, cerca de la ventana, para sentir un poco más esa lluvia.

—¿Qué piensas hacer aquí?

—Primero estudiar inglés. ¿Y tú?

—Tengo una beca.

—¿Para qué?

—Para viajar. Voy a viajar.

—No te creo, ¿quién te da la beca?

Me habla a cerca de su vida, es poeta, deseoso de quedarse algún tiempo en Londres, admira a los escritores ingleses y siente tener una gran influencia de algunos de ellos. Me describe el trópico de su infancia, "¿Eres de Villahermosa? Sabes, yo nací en Campeche. ¿Te gustan los marañones?", su mundo de estudiante en México, "¿Cómo se vive en una pensión?", su obra, "Conste, me prometes ese libro", lo que está haciendo y para lo que vive: dice que quiere viajar, conocer el mundo y la cuna del mundo, vivir, obtener nuevas experiencias para seguir escribiendo. Le hablo acerca de mis estudios de antropología, de mi gusto por leer, de mis intentos de escribir algo y traemos a la mesa, con nosotros a Kafka, Praga y sus puertas negras y sus tumbas encimadas. Mis amigas comienzan a despedirse, José Carlos nos da su dirección y nos invita a su departamento mañana en la noche.

Damos las gracias: una comida espléndida; y al decir adiós, me responden que ésa es mi casa.

II

En la cima, la última frase, alguno
de los dos, nosotros dos, probó su escudo.
El otro, lanzó el golpe a ciegas.

Oxford Street, tiendas, tiendas y únicamente tiendas. "Pero si ya compraste seis suéteres, vámonos. ¿no? Y tú, parece que vas a vender mascadas hindúes en México". Estoy rendida, pero mis amigas quieren comprar todo, han guardado su dinero para dejarlo aquí y saldrán de la ciudad con lo indispensable para la propina del mozo del aeropuerto. Compro unos guantes forrados y regreso al hotel cubierta por una gran cantidad de bultos ajenos.

Estamos cansadas, nos damos un baño y se empiezan a arreglar para ir a casa de José Carlos. Una estrena; la otra, se riza el cabello. Yo tengo sueño, me fastidié de ir cargando sus cosas de aquí para allá, quisiera dormir. Aunque pienso que puedo verlo cualquier otro día, me animan: son nuestros últimos días juntas y hay que disfrutar lo más que se pueda.

—Así que apúrate chiquita, no queremos salir tarde.

La estación del metro a la que llegamos se encuentra en las afueras de Londres, suburbios que parecen pequeños pueblos dentro de la ciudad. "¿Están seguras de que es por aquí? ¿No estaremos perdidas?". Caminamos cerca de un parque público y vemos a varias personas paseando a sus perros antes de irse a dormir. Hay edificios iguales por todas partes, nos detenemos en un grupo de ellos que tiene un pequeño jardín cercado en la parte de enfrente. "Yo creo que sí, aquí es." Una sensación muy extraña se agita dentro de mí.

José Carlos abre la puerta y nos da un beso. Presenta a otro mexicano que trabaja en la BBC, quien abraza a una muchacha desabrida y vulgar a la que saludamos cortésmente. Si José Carlos me hubiera dado un beso sólo a mí, habría jurado que apretó mi mano suavemente. ¿Las habrá saludado igual? "Es bueno para quitar el frío", nos dice José Carlos, refiriéndose al vino que nos da en unos vasos y se lleva nuestros abrigos. Dejamos correr el tiempo, de pronto la inglesa le dice algo que no entendemos, al amigo de José Carlos; lleva horas sentada sin poder reír, sonriendo fingidamente cuando advierte en nuestras caras algún signo o como respuesta a las escasas traducciones de su acompañante. José Carlos sale a despedirlos y nosotras esperamos sentadas en el suelo, no lejos del fuego de la pequeña chimenea. A su regreso, se recuesta en la duela, pone su cabeza sobre mis muslos y aprieta, otra vez levemente, mi mano. Yo me vuelvo interrogante a ver a una de mis amigas quien me ignora fríamente y cambia una mirada burlona con la otra. Sé que el calor que estoy sintiendo no es por el fuego que está muy cerca y que el color de mi cara no es natural, pero de alguna manera me gusta su atrevimiento. Siento deseos de acariciar su pelo y de encontrar su mano.

Un poco más tarde una de mis amigas ve el reloj:

—Estamos felices, José carlos —dice mirándome—, pero si no nos vamos, perderemos el último tren.

—Sí, nada más que me da muchísima pena decirles que he decidido quedarme con ella —responde mientras me toma por la cintura.

Yo me aparto bruscamente.

—¿Qué te pasa?

—Que te quedas.

Desaparece en busca de los abrigos.

—¡Ya ligaste, chiquita!

—¡Sh! No seas payasa.

—Calladita, calladita, pero se queda contigo.

—Por favor, sh, cómo son. Les juro que estoy más extrañada que ustedes. Lo juro.

—Sí, como no, claro.

Viene hacia acá con dos abrigos; corro al cuarto, tomo

el mío de encima de su cama y, cuando salgo a la puerta,
mis amigas ya se han ido. Estamos solos y siento miedo.

—Por favor, déjame salir; sé que es broma. ¡Espeee-
ren! Abreme la puerta.

—Quédate.

—¡Estás loco!

—¿No te quedas?

—Claro que no. ¡Voooy! ¡Voooy!

—¡Shhh! Vas a despertar a los vecinos.

—Abre.

—Dame un beso.

Tiene los ojos cerrados. Busco un espacio en su cache-
te barbado, aunque sé que su boca me gusta. Apenas si
lo beso. Abre la puerta, salgo como tiro al elevador, voy
a la calle rumbo a la estación y encuentro a mis amigas
en la entrada del metro.

—¡Eres una estúpida! Te hubieras quedado.

—¡Qué tonta, qué tonta! —agrega una de ellas— a mí
no me lo dicen dos veces.

—Pero a mí, sí.

III

Destino. Palabra que el fondo del río saca como un pez,
como una mejilla donde la corriente puede llorar
sin que lo noten las orillas.

La Torre de Londres, Saint James, una fotografía en Buckingham Palace, atolondradas por Westminster, seguimos al Parlamento, admiramos el Big Ben, el Puente de Londres, más compras, los Pubs, más fotos y el adiós.

—¡Ay, tú, pero si no nos vamos a morir; no pongas esa cara!

—Escríbenos pronto. Busca a Hugo, con ellos no te sentirás tan sola.

—Yo que tú, mejor buscaba a su amigo, no te hagas, ¡bien que te gustó!

—Ponte viva chiquita —se refiere a José Carlos—, y no hagas esa carita de "yo no fui, fue Teté". ¡Vivaracha muchacha! ¡Vi-va-ra-cha!

Los días que han permanecido aquí mis amigas, son como un abrir y cerrar de ojos para mí, las despido tristísima y desde Victoria Station hablo por teléfono a mi tía anunciando mi llegada.

El taxi se detiene en el edificio, este coche es uno de esos tan elegantes que hay aquí: negros, amplios y bien cuidados. Un señor delgado de traje gris abre la puerta del auto para que yo baje. De todo lo que me dice sólo entiendo: *"Please, miss"*. Ayuda, y con su mirada hace comprender que me esperaba. Toma mi equipaje con agilidad a pesar de su avanzada edad que acentúan sus canas y me conduce en silencio hasta el tercer piso.

—¡Qué barbaridad! ¡Qué horas de llegar! Me están esperando en la oficina.

"Estás loca, no la vas a aguantar. Si no te gusta te vas a tener que quedar de todas maneras porque no te mandaré el boleto de regreso; un viaje así cuesta mucho y no vamos a estar jugando. Piénsalo bien, más vale que te arrepientas a tiempo, recuerda, es una persona muy especial.''

Mi acompañante de traje gris deja las maletas y hace una seña para indicar que se retira. Doy las gracias, mi tía me presenta y Mr. Wolpert se pierde en el corredor.

—No te vayas a sentar en ese sillón, se ensucia. No desempaques nada hasta que regrese y te diga dónde vas a guardar tu ropa. Puedes darte un baño para descansar y calentarte algo de comida.

Cierro los ojos junto con la puerta. Le invento años a José Carlos: unos treinta y dos. Me gusta su bigote. Una de mis amigas se compró una falda linda, la otra va a ver a su novio y tal vez se casen; pobre, perdió su cámara en París.

Después de mi llegada y durante los siguientes días, mi tía está más amable conmigo. No tengo nada especial qué hacer y la ayudo en todo. Voy a su oficina y allí permanezco mientras ella trabaja, la acompaño de compras, me lleva a algún lugar de interés, comemos en uno que otro restorán de prestigio, visitamos los pubs, empiezo a darme cuenta del funcionamiento de la ciudad. Ya soy capaz de transportarme en el metro y el autobús sin perderme y decido ir a la escuela. La *International House* está en *Soho*, a dos cuadras de Piccadilly, donde veo de todo: lo mismo el pequeño restorán italiano que el hindú, el gran teatro, la baratija, el hippie... allí voy dejando un poco de mi tiempo todos los días y acudo a las clases con alegría.

Soy un poco más independiente pero mi tía vigila mis pasos: me cita a comer todos los días, me encomienda molestos encarguitos que voy haciendo por temor a sus escenas, a su enojo. Seguro hoy me toca ir a buscar su paraguas al salón de peinados y ''de paso, le preguntas al *grocer* si dejé allí el estuche de mis lentes ayer''. Claro, también tendré que buscar en el diccionario la palabra nueva que me dará ''para que vaya aumentando tu vocabulario''.

IV

Ven aquí con tu colección de mariposas, con tus antiguos ju-
guetes que ya no existen
y que parecen burlarse de ti desde ciertos rincones,
ven aquí con tus segmentos de niña asombrada.

Suena el teléfono. Malumorada, pensando que seguramente mi tía ha olvidado algo, voy a contestar.

—¿A dónde hablo?

—Sí, ¿José Carlos?

—Te invito a conocer la casa de Dickens mañana.

—¿Quién te dio mi teléfono?

—¿Quieres ir?

—¡Qué gusto! Me encanta la idea.

—Paso por ti a las diez de la mañana.

He esperado a mi tía con verdadera ansiedad. Le invento que lo conocí en la escuela y le doy mil atributos
para que no ponga ninguna objeción.

—No vas.

—Pero, ¿qué te pasa? Después de que mi mamá me
ha dejado sola por Europa, ahora me prohibes visitar un
museo.

—Pero aquí estás bajo mi responsabilidad.

—Voy a ir.

—Eres una malagradecida; me siento mal, estoy enferma, y en lugar de hacerme compañía, te largas con
un desconocido. Necesito de la farmacia unas medicinas
y...

—Iré ahora mismo por tus medicinas y, "de paso",
voy a salir.

José Carlos ha llegado por mí. Mi tía entra a la sala
en bata para conocerlo.

—Le dije a esta niña que se me hace una imprudencia
que me deje sola porque me siento muy mal —es su salu-
do a José Carlos quien guarda silencio.

33

Siento nuevamente que el color de mi cara no es natural y no se me ocurre nada para apresurar la salida más que despedirme. Trato de darle un beso a mi tía, pero ella permanece inmóvil, mirando a José Carlos como si estuviera quitándole sus partes. Tomamos el elevador en silencio; no sé qué decir o hacer, sigo apenada.

—¿Cómo aguantas a esa arpía? —me pregunta al llegar a la calle.

No respondo, me dejo atraer hacia él. Caminamos abrazados, me habla nuevamente de sus inquietudes, me pregunta el nombre de los árboles, imita el canto de los pájaros. Conozco más de él: su curiosidad por todo.

Ya estamos en la casa de Dickens; José Carlos desborda sus sentidos en cada objeto, cada cuadro, cada escalón, y habla de todo como si antes hubiera estado allí, como si Dickens y sus personajes fueran sus hermanos.

Un grupo de turistas encabezados por un guía se acerca a nosotros y nos unimos a ellos. Trato de traducirle lo más que puedo las palabras del que nos conduce por las habitaciones y descubro asombrada que José Carlos me ha dicho todo eso y más.

Mientras comemos en un pub cerca de la casa de Hugo y Lucinda, siento otra vez que su mirada me penetra y me perturba. Me comenta la amistad que va sintiendo por Hugo y decidimos pasar a visitarlos. No sigo extraña para ellos, voy entrando en la conversación suavemente como si fuera José Carlos quien me envolviera en ella. La noche me hace recordar a mi tía y pido regresar sola, no hay por qué interrumpir tan agradable velada, más allá de la lluvia y los reproches de la que "debe estar esperándome desde hace mucho rato".

No acierto a entrar. La luz de la sala, que de noche es mi habitación, está encendida, y Mr. Wolpert me ha advertido en voz baja:

—*Take care. She is in a bad mood.*

Tuve ganas de pedirle que viniera conmigo hasta la puerta, de abrazarme a él. Presiento una escenita, un numerito y no puedo evitar el miedo. Uno, dos... ni siquiera tengo llave, necesito tener una... tres y toco.

—No me digas que todo el día estuvieron en la casa de Dickens. Es demasiado viejo, greñudo y barbón para ti.

Uno, dos, tres, cuatro, cinco, seis, siete, o...

—¿A dónde fuiste?

—A la casa de Dickens.

—¿Y después? ¿O te pasaste doce horas en la casa de Dickens?

—A comer.

—¿Y luego? ¿O te pasaste diez horas comiendo?

—A casa de unos amigos de él.

—¿Y quieres que te lo crea? ¿Qué no hay teléfonos? Ocho, nueve, diez, once, doce, trece...

V

*Pero mi amor, repito, pero la naturaleza de mi disfraz, pero
    mi ser de lluvia,
padeció el cuentagotas de los arrebatos más sórdidos, más
    cobardes y bellos,
y mis dolencias y mis bienes, las deudas de mi sangre y mis
    últimas rosas;
padecieron y cumplieron esa cadena que la Razón y la Ley
    han forrado de terciopelo y de Ciencia.*

Ha pasado una semana y casi no tengo ningún disgusto
con mi tía. Después de la escuela, acudo a sus citas a comer, y permanezco en el departamento el resto del tiempo. Por las noches me pregunto qué hace José Carlos que
no me llama. Deseo inútilmente soñar con él, doy rienda
suelta a mi imaginación, vamos juntos por aquí, por allá;
también nos hemos besado muchas veces.

Esta mañana antes de salir a la escuela, por fin sonó
el teléfono. Me invita a la Tate Gallery, nos veremos en
el metro; no desea toparse con ese monstruo, como apo-
da a mi tía. Siento cómo el estómago comienza a con-
traerse; me estoy muriendo por verlo.

Encuentro a mi tía como de costumbre a la hora de
comer; le digo que mañana sábado saldré con José Carlos, y oigo sus palabras ya sabidas de memoria.

Ha amanecido, llevo no sé cuántas horas esperando el
día. No ha dejado de llover, mi tía golpea las cosas y vi-
sualizo a Mr. Wolpert susurrándome al oído: *Take care.*
Imagino que esa señora alta, de facciones adustas, de mirada fría, olorosa siempre a perfume es solamente un invento de la lluvia.

—Cuando venga por ti le voy a decir...

—Nos quedamos de ver en el metro.

—¿Pero... cómo? ¿Qué clase de hombre es, que ni siquiera viene por ti a tu casa? Unicamente los que tienen malas intenciones citan en lugares así. No vas.

—No me obligues a verlo a escondidas.

—¿Y mi responsabilidad? Le voy a escribir a tu mamá.

—Mi mamá me respeta y me tiene confianza.

Por primera vez, desde que salí de mi casa, la extraño. La nostalgia de mi madre me invade. Tengo ganas de llorar, pero no he de dar a mi tía ese placer.

Estoy cansada de esperarlo, he caminado por todo el pasillo una y otra vez. Ahora, este lugar es aburrido para mí; permanezco en la banca preguntándome angustiada si vendrá. A lo lejos lo descubro por su bufanda roja. Estoy de pie, José Carlos se acerca sonriendo, tan observador como siempre. Aprende mis señales, me suelta el cabello; conoce mi mirada y me presiona.

—Salte de ese lugar.

—No puedo, sin dinero...

—Es una...

—Lo que pasa es que siempre ha vivido sola y así, de pronto, no sabe compartir.

—Mentira, te chantajea moralmente, te maneja, quiere manipularte. No te sales porque no se te da la gana.

José Carlos se ha transformado hablando de mi tía; conozco ahora también su odio.

Súbitamente hemos cambiado la plática y estoy riendo; habla arrastrando algunas letras por su acento muy particular y yo me divierto imitándolo. Dice que soy una niña y le reprocho que apenas el otro día era mujer. Me oprime; los dos tenemos tentación de acariciarnos: hemos comenzado a desearnos camino a la galería. Además, está lloviendo.

Mis conocimientos de pintura son, engrandeciéndolos al máximo, rudimentarios. Le pregunto a José Carlos cómo es que sabiendo tanto de todo sale conmigo que no sé nada. Dice que mi capacidad... que juntos... y me hago, otra vez, ilusiones.

La mayor parte de las pinturas las conoció en reproducciones y está dándose un banquete con todos los originales. Caminamos sin cansancio, de cuadro en cuadro, de sala en sala, con los sentidos abiertos; de cada cuadro señala el tema, el detalle, la técnica, la corriente y lo que le hace sentir. Hace un poema con una pintura y de la siguiente dice algo que ha escrito algún otro poeta. Así, me transmite los actos de pintar y escribir como sensiblemente sagrados.

Al salir de la galería vamos sin rumbo fijo; caminamos sin saber a dónde. Comemos en un pequeño café cualquier cosa y dos horas más tarde nos encontramos en el barrio de Bloomsbury.

José Carlos me hace a un lado, viene hacia nosotros una mujer delgada, altísima, de cara larga, angulosa y grandes zapatones; lleva un vestido negro y los ojos hundidos en sus cuencas. El me aprieta la mano al tiempo que me pregunta en voz baja si he leído sus libros. No sé a qué se refiere. Al ver que se ha ido, se disculpa:

—Era la Woolf —juega—, iba a presentártela, pero preferí no interrumpirla porque parecía un poco perturbada y temí su cólera o su tristeza.

VI

Sí, voy huyendo,
en mi corazón, la noche se disfraza de corazón,
en mis cabellos el viento se disfraza de cabellos,
mi rostro está tan oscuro que los astros han volado mis már-
genes.

Museo Británico, Galería Nacional... salimos sin que mi
tía lo sepa. Hoy estamos en el cine con Hugo y Lucinda.
Mientras vemos la película, José Carlos me suelta nuevamente el cabello como si fuera una antigua costumbre.
De regreso a casa de los Gutiérrez Vega, creo haber vivido esa escena varias veces. Durante la cena oigo nom-
brar continuamente a Bergman, Bogart, Fellini y Buñuel.
No me siento segura y hablo poco. No quiero salir de
aquí, se está tan bien... pero esta vez es José Carlos quien
me ruega que salgamos.
   El autobús se detiene y subimos a la parte de arriba,
donde somos los únicos pasajeros. Desea que lo acom-
pañe a su departamento y defiendo mis prejuicios instin-
tivamente. Alego que es tarde, que tiíta debe estar espe-
rando. José Carlos se irrita, habla grosero, golpea con
las palabras, casi grita.
   —No entiendo cómo la soportas.
   —Es que no me queda otra.
   —No, eres una cobarde.
   —Mi problema es el dine...
   —El dinero vale madres; vente a vivir conmigo.
   —Tu beca apenas si te alcanza.
   —Trabaja. Busca un trabajo.
   —Soy menor y...
   —¡Chingada madre! Todo está en ti. Si tú quieres, por
supuesto.
   —Te prometo que lo pensaré...
Llegamos hasta mi departamento y una vez más me

41

pide que lo acompañe al suyo, "que ni es tuyo, ¿cuándo regresa el que te lo presta?". Nos abrazamos; sólo me doy cuenta que estamos en la calle cuando oigo toser a alguien discretamente pero con insistencia. Abro los ojos. Mr. Wolpert me dice con la mirada, lo que siempre me advierte, lo que día tras día repite y no soporto más.

Subo al edificio por las escaleras, me detengo entre el segundo y el tercer piso. Me siento en un escalón a pensar: ¿qué quiero pensar? ¿En la película que vimos? No, debo tener alguna salida. Hablar con la tía; no. ¿Trabajar? Cierro los ojos, ahogo mis ganas de gritar, revivo la escena de abajo ignorando a Mr. Wolpert. Un poco más tarde, doy vuelta a la llave tratando de no hacer ruido, pues no veo luz.

—¿Qué horas de llegar?

—Buenas noches.

—¿Quién crees que eres?

Sigue hablando; no me interesa lo que dice. Después de lavar estos platos, me acostaré. Por lo que veo Esperanza no vino hoy tampoco. Cómo es, Esperanza, cómo es. No me diga que está pensando no regresar a hacer la limpieza, con lo que me gusta que me ofrezca un té, hable de mil cosas, de su hija de mi edad, de que por los años trabajados en la embajada ya se siente mexicana. Siempre me dice usted que viene de contrabando y le pediré que lo siga haciendo, ¿verdad que vendrá? ¿Sí? En fin, mañana será otro día; iré a ver a Lucinda, a pedirle algún consejo.

Descubro de casualidad una carta dirigida a mí: es de mi mamá. Mi tía la arrinconó, seguramente teme un complot. Dentro de unos meses seré mayor de edad; entonces, le retirarán mi pensión. Está preocupada porque ese dinero le hará falta. Mis hermanos preguntan por mí; me extrañan. Sí, cómo no: "Queridos hermanitos que me extrañan; aquí me tienen bajo el chipi-chipi continuo de Londres, a salvo de sus malos tratos. ¡Ah! Mi hermana mayor debe extrañar mucho mis blusas, faldas, vestidos y zapatos. ¡Qué lástima que no puedes estar aquí! Aho-

ra sí te presto todo lo que tengo con mucho gusto; anda,
ven a ponértelo todo, toditito y si quieres te presto también a mi tía que me queda un poco grande. A mis hermanos varones les suplico que si me extrañan, no rayen
mis discos, no presten mis libros y no asusten a mis amigas. Les quiero preguntar, ¿ahora a quién fastidian todo
el día con sus ve, dile, tráeme, hazme, sube esto, baja
por aquello, etc., etc., etc.? Los quiero consolar: aquí me
siguen molestando en nombre de ustedes''.

Mamá envía unas cuántas libras y se despide diciendo
que escriba más seguido, que cuente con ella para todo.
Sigo dándole forma a ese ''todo'' mientras me duermo.

VII

Ahora esta palabra,
cuando la ciudad llena de humo y polvo en el poniente se le-
vanta de los parques con su aliento de enferma,
cuando las calles abandonadas comen sentadas sus propias
yerbas igual que ancianas en aptitud de olvido,
cuando el tranvía del anochecer se detiene atestado en una
esquina
Y sólo baja una muchacha triste.

Ya en el metro camino a la escuela, he tomado una reso-
lución. Acepto las reglas del juego. Doblo mi apuesta y
me dirijo al departamento de José Carlos. Ante la puerta no acierto a tocar; pienso que el pretexto es no tener
pretexto y que la duda es no tener duda. Y ahora, ¿qué
le digo? ¿Que vine porque quería verlo, sentir sus manos
apretando mi cintura, oír que ha decidido quedarse conmigo? "No tengo nada qué leer y pensé que tú podrías
prestarme un libro en español, aquí es tan difícil conse-
guirlos...". No, mejor: "Mr. Wolpert anotó una llama-
da telefónica para mí en la portería y como no dejaron
el nombre, pensé que eras tú y por eso vine". Toco, sale,
no diré nada, dejaré que él empiece y luego... ¿Habrá
alguien que sea capaz de decir a qué viene, sin tapujos?
Vine porque te quiero...

Va a ser más fácil de lo que estoy imaginando, José
Carlos lo sabe, lo sabrá al verme. No diremos nada, conoce mi mirada. ¿José Carlos me vas a ayudar? Unas vo-
ces salen del departamento de enfrente, la mañana debe
seguir gris, regresaría a la estación pero es necesario atravesar nuevamente el jardín y ya estoy aquí. Cierro los
ojos, las puertas se hacen secretas y las paredes laberin-
tos. Me encuentro en uno, ¿será ésta realmente la salida? Afuera Londres está inmóvil, se ha detenido para mí.

Al abrir los ojos, la señora del departamento de enfrente me está mirando; por un momento me siento ori-

45

llada a explicar: "¿Vive aquí mi primo? Realizo una en-
cuesta: ¿qué opina sobre la serie de televisión Enrique
VIII y sus seis esposas?". No me mire así, lo que está
pensando no es como lo piensa. De plano pregunte, sí,
sería mejor eso que resistir esos puñales, ese reproche.
Se muere por saber qué pasará allá adentro, ¿verdad?
Imagine lo peor para usted y lo más hermoso para mí,
para nosotros. ¿Ha amado alguna vez? Señora vecina de
José Carlos, señora familia, señora sociedad: Esta vez,
no voy a explicar.

Llamo a la puerta. Tengo la sensación de despojarme
de algo, me suelto el cabello como le gusta, duele la lluvia de afuera, me desprendo del desamparo. Aquí estoy.
Nada de lo que está y ha estado a mi alrededor me importa, ya no sueño un deseo, soy una posibilidad, lo per-
cibo, lo encarno, lo siento. Voy a un acto repetido por
siglos: la entrega.

No está. No está. NO ESTA. NO ESTA. ¡No está. ¡NO
ESTA! ¿No está? ¿No está? ¿NO ESTA? No está. Sal.
Sal, POR FAVOR. Sal de donde estés. Ven a abrir esta
puerta. Ven. ¿Estará dormido? José Carlos, ¿me vas a
hacer esto? ABRE, abre, por favor.

—*Are you still RINGING, young lady?*

—...

—*STOP RINGING.*

—José Carlos, ¿tendré valor de apostar otro día? De
aquí al metro, de allí a la escuela, de allá al departamento de mi tía. Para llegar a la estación debo atravesar nuevamente el jardín, como Napoleón abandonar Rusia: ven-
cido. Los soldados caminan avergonzados, quieren que
todo acabe ya de una vez y añoran sus hogares; y el mío,
¿dónde está?

Una mano complacida quita mi dedo que aún hacía
presión sobre el timbre. Es la vecina. José Carlos no está,
me explica. Comprendo, pero mi rostro debe recordarle
algún manicomio.

VIII

Así sostendré algo tuyo en el mundo,
Así cada palabra quedará marcada para siempre.

He vuelto. Esta vez, sí. Está, escribe a máquina. Parecen pasos de tap. Recargada en la pared para escuchar, noto su tap, tap, tap, continuo, rítmico.

Oprimo el timbre con suavidad.

IX

*Ya tu cuerpo comprende lo que significa ser tu cuerpo, lo que
   significa que tú seas él;
tu cuerpo extendido a lo largo de tu amor, a lo largo de tu
   alma, y todos los barcos que zarpan de tu corazón
llevan ahora las luces apagadas.*

Le conté a Lucinda lo que me pasa y se ha prestado a
acompañarme al doctor. Por primera vez desde que estoy aquí, hace buen día. Dejamos el autobús en Porto-
Bello Road. Le pregunto a Lucinda qué significa tanta
gente y esos hippies por todos lados. Es como La Lagu-
nilla, explica. Me advierte varias veces que no me entre-
tenga curioseando piezas de plata, bronce, cobre, porcelana, muebles, joyas, ropa. Todo lo toco pero sin verlo
realmente con tal de retrasar el encuentro con el médico:
"He venido porque... vine a verlo pues... fíjese doctor
que...".

—Apúrate, otro día vienes; siempre hay mucha gente
en el consultorio.

Nos detenemos en una casa de dos aguas. Una señora
abre la puerta, un hombre joven y una muchacha esperan su turno sentados en silencio. No hablan, no nos mi-
ran y dan a entender su indiferencia ante lo que pasa a
su alrededor. No puedo arrancarme esa sensación de cul-
pabilidad. Lucinda me empuja hasta el escritorio de la
enfermera. Hay un banco y no puedo sentarme, tendría
la impresión de estar en un juicio.

—*What's your name?*

—He venido porque creo que es lo mejor.

—*Nationality?*

—Lo hemos discutido largamente y sería una tontería
no hacerlo.

—*Date of birth?*

—No piensa casarse. Es por eso que no queremos...

—*Adress?*

—Tal vez con el tiempo...

Me siento a un lado de Lucinda a esperar mi turno y ella me anima:

—No tienes por qué estar nerviosa. Aquí estas cosas son normales, no es como en México.

Y en México yo no tendría ni para el doctor.

—Qué bueno que aquí no cobran, ¿verdad?

Me habla de sus hijas y de Hugo hasta que la enfermera me indica que pase. Delante de mí está una doctora rechoncha. Amablemente me conduce a la báscula.

—*Where do you come from?*

—*Mexico.* '

—*OH, Mexico! Do you?*

Mientras me pesa y me mide:

—*What's wrong with you?*

—*Nothing.*

—*Then...*

—*I just want to take the pill.*

—*Oh, good for you!* —me responde. Quizá pensó que estaba encinta.

Me he quitado un peso de encima; estoy sorprendida: ¿tan fácil? Me somete a una revisión. Poco a poco se borra mi angustia, miro las paredes, descubro los diplomas y los accesorios. Me advierte los riesgos y me da la receta. Estoy provista de sonrisas para todos. Antes de salir, veo por las rendijas de la ventana, la lluvia empieza a caer.

X

En ti están todos los sitios del recuerdo, los túneles donde
la memoria se debate atrapada,
El aleteo del crucificado y la otra cara del designio,
la verdad oblicua del alma y la jactancia y la vacilación,
y eres la playa donde el mar se hiere las manos por asirse a
la tierra.

Tocan. A lo mejor es Mr. Wolpert con la correspondencia. Un momento. ¡Ah! Sí, sí, buenos días. Su nombre es Andrew, Andrew Rogers. Mucho gusto, sí, sí. Vive en el edificio, me ha buscado varias veces y *aunt* le dijo que hoy me encontraría. Pide que acepte la invitación; no está lejos. "Sólo tienes que verlo y ya. *He's very proper* y muy buen tipo, eso sí. Muy buen tipo." Windsor es un pueblecillo encantador y hoy es un día espléndido para conocerlo. Me ha visto muchas veces al entrar y yo no lo he notado, con su traje nuevo, su corbata elegante (100% *silk*), su cabello castaño y bien peinado, su piel blanca, sus manos grandes y delgadas, aunque mide casi los dos metros. Pienso que tal vez el aspecto demacrado de José Carlos, (¿por qué últimamente esas ojeras?), su pantalón gastado, su tez morena, su manera de fruncir las cejas, su barba, su pelo largo y la estatura más bien baja, lo hacen para mí bello.

Aunt oye la conversación y se acerca:

—Sí, cómo no. No tiene ningún compromiso hoy, le da mucho gusto aceptar. Es usted muy amable, precisamente deseábamos ir al castillo la semana próxima.

Suspiro hondo, más hondo que nunca. Solicito ayuda, el puesto está vacante. No me atrevo a gritar a mi tía que vaya a... ya no quedan palabras y pienso que la lluvia es un mito infectante. ¡Me ha comprometido! Celestina agazapada entre porcelanas y esos sillones donde uno no puede sentarse. Es cierto, sí. El señor Rogers po-

see un auto y en él podrá "de paso" darle un aventón
a su oficina o dejarla en Covent Garden, "por favor".

José Carlos, te apuesto lo que quieras a que si tuvieras
un coche... "ese mechudo no te conviene, no te conviene". Si me creyera qué bonito me miras por los pasillos
del metro y cómo disfruto contigo Hyde Park.

Camino a Windsor voy imaginando cómo podré des-
hacerme de Andrew; no sé cómo decirle o darle a entender que rechazo su amistad simplemente porque *my aunt*
la acepta. Bueno, el castillo bien vale un pleito menos
entre las dos. No, ¡qué horror! Voy siendo débil, acepto
lo más fácil, lo que no espero, ni busco, ni quiero. ¿Y
qué sabe ella si tenía compromiso o no? A lo mejor yo
no deseaba ir a ningún lado que no fuera el departamento de José Carlos. ¡Ay, señor Rogers! Me inquietan dos
cosas: su manera de manejar, que como aquí es del otro
lado, cada vez que da vuelta siento que me estrello contra otro inglés tan proper y atrabancado como usted, y
lo que estará pensando; porque si es en mí, está usted
en un camino que no da a ningún lado. Muchas veces
estará usted en el edificio y yo pasaré sin notarlo: ésa es
la verdad.

¿La torre del siglo qué? Perdón, distraída, soñaba en
la cama del otro día. No, no llega a ningún estilo. Lo
más simple. Mire, Windsor será todo lo que quiera y me
diga. Para enterarme, voy a comprar un librito de esos
que nos venden en todas partes a los extranjeros, porque
ahora sólo oigo el ruido de la cafetera, el crujir de la duela. El uniforme tan pomposo del guardia me hace pensar en lo ridícula que me vería con el saco de su pijama:
las cadenas que vemos me hacen sentir aún sus brazos...
recuerdo mi pelo enredado en su cuello, en sus manos,
en la almohada, en todas partes...

XI

Noches que de algún modo fueron verificables,
noches que no son paisaje ni retrato ni cuadro de historia,
noches susceptibles de ser mencionadas en la habitación donde
se produce el amor a cualquier precio entre el punto de
partida y la temperatura crítica.

Me ha dicho mi tía que ya está bueno, que cambie mi cara de aburrimiento y mal humor: "Espera, espera. Sacarán pronto el confeti, las serpentinas, la colación, las velitas" —dice—, y todas esas cosas —digo yo con rencor. Como si con ellas yo pudiera... ¡Ah! ¡Ya entendí! Prenderé la colación, me comeré las serpentinas y aventaré las velitas encendidas.

Sí, la cena estará muy sabrosa, es natural, la hicieron las esposas de los funcionarios. Si la preparó Lucinda, entonces sí la comeré porque todo lo que ella cocina es delicioso. Ya oí, ya oí, darán frijolitos, mole poblano, tamales, arroz blanco, y habrá tortillas, tortillitas, recién hechas, redonditas, calientitas de comal. Lo que pasa es que José Carlos ya me metió en la cabeza lo absurdo de estas fiestas o algo raro, muy raro, me está pasando. ¿Por qué mi hostilidad a todos estos platillos que me gustan y que hace meses no como? ¿Más adelante me pasará igual con otras cosas? "Te dije que te pusieras tu vestido de campechana, mira, todas las muchachas traen sus trajes regionales, deberías estar como ellas. Esas blusas tan bonitas, todas bordadas a mano; pero como siempre, tu no aprecias, tu no aprecias nada, ¡qué va! La fiesta se va a poner buena, anda, anímate."

¿Por qué no quisiste venir, José Carlos? Comienzo a darme cuenta, creo que es verdad todo lo que despreciaste: las caras forzadas, las pláticas de cliché, el ponche alterado, y todos los lugares comunes de las fiestas mexicanas; claro, si tu estuvieras; sí, tú que eres mexicano, de clase media, pero que no eres así, todo esto que estoy viendo. Ahora no me queda más remedio que aceptar que todo lo veo y lo mido a través de ti, trato de ver las cosas como lo harías tú. Dejo un orden para entrar en otro y es difícil dejar uno que no funciona para tomar el tuyo del que no estoy muy segura. ¿Me aferro a él sin abrir los ojos? ¿Es esto estar enamorada? Un caos extraño que nos invade y que nos gusta...

Te insistí en que estarían Hugo y Lucinda; pero no se me ocurrió pensar que esta noche de invierno, revestirían su ropaje de funcionarios y se ocuparían toda la fiesta en sonreír a las señoras de manos temblorosas que a veces pasean por el metro su librito *All you must know about México,* las mismas que han fundado un club de *Friends of México* y le piden a Hugo que asista a la hora del té a dar una pequeña plática. Sería inoportuno llegar hasta donde están ellos dos, ¿verdad, José Carlos? Sin embargo, cuántas ganas tengo de ir yo también a interrogarlo, no acerca de México, sino de ti. ¿Qué piensa José Carlos de mí? Dime, Hugo, ¿te habla de mí? ¿Cómo? Tú, el amigo que se desvela con él hasta las ocho de la mañana en la sala de tu departamento hablando de todo. Dímelo, sí, quiero saber; no importa que después José Carlos me diga que la inseguridad y que la inseguridad y que lo que sea. QUIERO SABER. ¿Por qué está conmigo? ¿Está jugando? ¿Hay otra? ¿Otras? ¿Está enamorado? Porque yo sí y a lo mejor estoy haciendo el oso...

¿Para qué será ese pequeño entarimado? ¿Irán a bailar? ¿Vendrá algún mariachi entre las cosas que se han mandado pedir a México para la fiesta? ¡Claro! y ¿por qué no? Si han enviado por la minsa, las tortillitas, los chilitos, la jamaica, los tamarindos, el tequila, la caña y los tejocotes para el ponche, los totopos, las cazuelas de barro y... También es probable que entre tanto estudiante que ha venido... —deveras, ¿de dónde salieron tantos? si a la embajada que yo sepa nunca van. Ojalá que no les vaya a salir lo mexicano; digo, en el peor sentido, y que disfruten su "qué ganas de comer molito, de ver las naranjas picoteadas de banderitas tricolores de papel de china, que dan ese saborcito a lo nuestro, a las ofrendas de muertos, al día del grito".

¡Salud! (También es verdad lo del ponche, José Carlos.) No, no he estado enferma, no me siento mal. Es que no he podido ir, en lo del teléfono tiene usted razón, una llamadita... pero si he estado muy bien y no he querido molestarla, quitarle su tiempo. Me imagino, usted siempre tan ocupada. Ay, muchas gracias, se lo agradezco en verdad, le prometo que iré, es usted muy amable en ocuparse de mí. ¿Mis estudios? ¿Cómo están? Pues... he estudiado poco, ¿es muy difícil el Lower Cambridge? Sí, señora embajadora, le aseguro que voy a estudiar seriamente, claro, tiene usted razón. ¿Que a dónde voy? Al cine, al teatro, a los museos, a los conciertos, a las exposiciones, a la escuela, al departamento, sí, sí, al departamento, a la escuela, a las exposiciones, a los conciertos, a los museos, al teatro, al cine, al baño, y también, desde luego, procuro ser buena niña y... ¿Que con quién salgo? Pues verá usted... este... con... porque... ¡Ay, no! Por favor, no. ¿Para qué me lo quiere presentar? Se lo suplico, no es timidez, aquí entre nos tengo novio en México. Ajá, con platicar no pasa nada; pero prefiero no. ¿Le digo la verdad? He oído que es muy pesado. No lo tome a mal, además no me gusta, no lo llame; vea ya se va a pedir posada...

—Señora Embajadora, Sir Clifford desea preguntarle a usted...

Me salvó la campana. José Carlos, es muy grave lo que me está pasando: en otras circunstancias estoy segura de que me habría podido divertir. Es como si a pesar de que tú no estás ahora conmigo, estuviéramos juntos, registrando los hechos de la noche, aprendiendo de memoria cada movimiento de los demás, viendo quién es el que cruza la puerta de entrada al escenario, grabando la voz de los que vienen a olvidar aquí la secuencia de sus gestos vacíos, a recordar las posadas que tuvimos hace apenas unos años, cuando todavía éramos niños. Pero no estás y quién sabe dónde andas porque no creo que estés en tu departamento. A ver, déjame pensar, ya sé. Descubriste en un cinucho de barrio lejano una película de ésas que "debes ver, no te la pierdas", y te fuiste allá. Lo que no me atrevo a asegurar es que hayas ido solo. ¿Dónde andas? ¿Con quién?

Un estudiante de física platica con una de las invitadas y yo escucho:

—No me diga, ¿enamorada de Harrods? ¿De Peter-Johns?

—Y de los conjuntos de Cashmere y de las faldas escocesas y...

—Permítame plantearle un problema elemental de física: ¿Cuánto esfuerzo (expresado en kilo-fuerza) necesita usted realizar para levantar su brazo derecho a una altura de treinta centímetros de la cintura, teniendo en cuenta que éste lleva un peso aproximado de (creo yo, si no rectifique usted por favor) tres kilos setecientos gramos, expresado a razón de todo tipo de pulseras y colgajos de oro puro de dieciocho kilates? Sin tener en cuenta ninguna ley de esas raras que nos hablan de la dilatación de los cuerpos sólidos por los efectos de la temperatura. Lo digo para que no crea usted que eso del calor de los alcoholes interviene en la operación matemática. ¿No es así, señorita?

Y yo que pensé que este tipo de problemas nunca se llevarían a la práctica en la vida real. Mire, joven, yo también tengo un problema: No sé dónde anda José Carlos. A ver, según la ley de las probabilidades, ¿dónde cree usted que pueda estar?

Ahora sí se va a cantar la posada. No terminan de ponerse de acuerdo. Y los ingleses que tratan de participar en la fiesta, ¿qué pensarán de todo este desorden?

"Te deberías de parar a ver cómo rompen los niños la piñata. ¡Qué barbaridad! No sé qué es lo que te interesa a ti. No pongas esa cara de enferma, ponte polvo en la nariz... Ves, te están haciendo señas para que vayas. ¡Qué bonita rosa! Tú que estudias antropología explícale a la vecina qué cosa es una piñata y no me digas que no lo sabes, sería el colmo.''

Verá usted, Mrs. MacDonald, una piñata... *It's that beautiful thing you are looking at*. Sólo porque es usted la dueña del perrito que me cae tan bien, le voy a decir qué es barro y olla, qué es recortar papeles, papelitos y papelotes, qué es engrudo, qué es embadurnar, qué es artesano y el resultado: burritos, estrellas, canastas, aves, muñecas y esa rosa, ¡esa preciosa rosa! Y por ser usted *so very nice*, le voy a contar lo que me dijeron un día antes de que estudiara antropología, cuando le pregunté a mi profesora, ¿qué es el pecado? y ella argumentó: Es como la piñata, algo que parece por fuera precioso, pero hay que romperlo. Así romper la piñata es una fiesta. Bueno, al menos fue lo que ella me dijo y yo se lo paso al costo. Y *I'm sorry*, Mrs. McDonald, porque no me acuerdo qué sigue del símil en lo que toca a eso que está adentro y acepto aquello que su tía, quiero decir, que la mía piense al respecto.

Si en lugar de que la piñata fuera esa rosa, estuviera colgada... No, no, ¡qué cosas pienso! Menos mal que la piñata fue para los niños, ¡ni quién diga nada! Claro, porque son niños. Pero te imaginas, José Carlos, a todas estas señoras que vinieron de México a comprar el trusó de la hija o a las que estarían enredadísimas con el problema de física, a todos estos muchachos tan fuertes, tan cuetes y a todas las secretarias de la embajada que están tan alegres y no tan serias y tan burocráticas como detrás del escritorio. ¿Te los imaginas a todos ellos tratando de romper la piñata? Con razón dicen que un día en París, en una fiestecita de éstas, echaron un piano por la ventana.

¡Qué bien, Lucinda! Que después de explicarles que el mole *is made out of,* que las tortillas, sí, se parecen a las hindúes y que los tacos *are made out of*, les indiques que pasen a servirse. Porque yo, aunque los hubiera visto sentados con la propiedad inglesa servida en los

platos, no me hubiera atrevido a sugerir que fueran allá
ni por los cubiertos. ¿Cómo les dirías tú, José Carlos?
Que al país donde fueres haz lo que vieres, y que como
aquí estamos prácticamente en México, deben dar em-
pujones y codazos para llegar hasta donde se encuentra
el mesero? Entonces tal vez yo te hubiera ayudado diciendo que si es posible lo evadan, no se dejen intimidar
por el que está detrás, aun si da el aventón más fuerte
y parezca que hace años no come. Aquí me hubieras interrumpido: ''Los platos se sirven bien llenos, sin dejar
ningún lugar de la porcelana visible''. Si yo fuera antro-
póloga, aseguraría que así es la costumbre, porque siempre se piensa que será la última cena, que mañana Dios
dirá. Y que desde luego pueden no comerse todo lo que
se sirvieron porque después de todo, no estaba tan bueno cómo se había pensado.

Quisiera saber realmente cómo piensas, José Carlos.
¿Verdad que tú no les habrías dicho nada? Mira, Lucinda, diles que no se asusten; *please, don't,* que están entre lo mejorcito de México: su buena sociedad, sus artis-
tas que viven seis meses aquí o en París, que somos los
hijos de los burgueses que vinimos a estudiar, que los
otros, los becados, no vinieron.

José Carlos, ¿llueve allá afuera? Sí, ya me di cuenta,
hablo mucho de la lluvia; pero todos ustedes saben que
aquí llueve casi todo el tiempo, y además a mí me gusta
hablar de ella. Por eso, José Carlos, te pregunto mientras veo estos actos de barbarie que mi abuela no creería, ¿llueve allá afuera? Cuestión que, en fin, ya averi-
guaré mañana...

XII

Lo empiezas a saber,
tu amor va enseñando sus sales de baño, sus fiestas de guar-
dar, sus cenas sin nadie;
a veces, el esqueleto de tu ángel de la guarda baila en tus ojos,
ciertas avecillas silvestres amanecen temblando en tus manos,
ya el tufo de la crucifixión
no te hace taparte la nariz de niña "que no sabe nada", "que
no entiende nada".

Navidad.

—¿Mamá, me oyes?

—Sí, sí. ¿Cómo estás? ¿Qué te pasa?

—Quiero mi boleto a México.

—¿Cómo dices?

—Voy a regresar. No entiendo qué es lo que hago fuera de casa y pasándola tan mal. Los extraño a todos mucho; más de lo que te imaginas. Estoy sola y con problemas que me tienen confundida. Mamá, ya no quiero estar aquí. Mamá.

Si tan sólo me atreviera a descolgar la bocina para pedir esa larga distancia... Seguiría siendo una niña a la que se le resuelven sus problemas. Mi mamá no se negaría, eso lo sé bien; pero estando allá, pierdo a José Carlos definitivamente. No tendría más nada suyo, sus razones de vivir juntos entre bruscos ademanes y todo aquello que termina en que voy siendo cada vez menos niña y más mujer... ¡Qué desesperación! A ver, por qué no soy hija de una lavandera, de un desconocido? ¿Quién lo creería? ¡Cómo me pesa en estos momentos mi madre y su familia revolucionaria! Sí, mi general, aunque hayan sido de esos que no tenían nada hasta después y ahora resulta que son de nombre y prestigio. Me pesa mi padre que no conocí, que debe haber sido todo lo que José Carlos me cuenta que oía decir cuando estudió en Campeche.

¿Quién soy? ¿Qué soy? ¿Qué debo ser? Ya entiendo: los griegos, el teatro isabelino, etc., etc., etc.

En fin, con motivo de la Navidad me veo obligada a escribir a mi madre la mayor mentira, la vomito palabra tras palabra:

"Todo va bien. Tengo nueve invitaciones para pasar la Noche Buena: elegiré la mejor. Me pondré un vestido azul y voy a salir en una carroza negra que espera por mí a la puerta del edificio. Sin duda, aunque lejos de ustedes, la pasaré bien."

Realmente debiera decirle:

"La distancia es mi ausencia. Sin dinero, con la tía y los problemas que tengo, me voy hundiendo. A veces me siento en penumbras y he comenzado a despertar angustiada como cuando era niña. Sé cual es mi salvación y terminaré por aceptarla. Voy a desmentir a José Carlos en eso de que no tengo carácter. No me gusta contarte, pero la velada será para mí como cualquier otra. No tengo nada qué decir ni hacer. Mi tía no me deja ir con el que quiero estar esta noche. El, furioso; yo, con ganas de llorar. Y por lo tanto da igual dónde o cómo la pase. Odio todo esto que no es mío, ni mi casa ni mi ciudad ni mis amigos ni mis fiestas. Odio la Navidad que me provoca esta tristeza y para aumentar algo, empiezo a odiarme."

Al terminar la carta escribo "felicidades" y la palabra se detiene golpeada por el silencio y el aire helado de la noche.

XIII

¿Dónde podría yo estar diciendo la verdad?
¿De qué antifaz arrancaría yo mi rostro para probar el dolor
de mi mentira?
¿De qué rostro arrancaría yo mi antifaz para probar la tela
de mi vida,
la gran envoltura de lo que me rodea?

Son casi las cinco de la tarde; es la tercera vez que miro mi reloj. José Carlos ha interrumpido su trabajo: no oigo sonar la máquina de escribir. Levanto la vista del libro de Reyes que me ha prestado y encuentro sus ojos sobre los míos.

—Ya terminé —dice feliz—; se lo mandaré a mi familia lo más pronto posible. A ver qué les parece.

—Sabes, es tarde. No por nada, pero me gustaría comer algo.

—Me muero de hambre yo también.

El es quien cocina, como siempre, mientras yo pongo un poco de orden en la sala de trabajo, para convertirla en casi comedor. Entro en la cocina, ¡qué descanso! Está friendo unos trozos de carne y dejo en los restoranes la monotonía de los Steak and Kidney pies, los Stew, los Yorkshire puddings, los Horseradishes. Habla de Eliot como si acabara de despedirse de él; me envuelve en una atmósfera de felicidad inaudita. ¡Pobre Marlo! Pensar que siempre hay alguien que nos quiere y ni nos dignamos voltear a ver, porque así es la vida: dispareja.

Me encanta el bigote espeso de José Carlos, el pelo largo le queda bien. No me canso de verlo, de oírlo; siempre tiene una puntada nueva y me hace reír. Descubre cosas en mí que hasta ese momento yo ignoraba.

—¿Qué piensas tan seria?

—¿Quieres saber?

—¿Quieres que sepa?

—Hay un cuate enamorado de mí en la escuela.

—¿Te gusta?

—¿Te dan celos?

—Si te digo que no, ¿me lo crees?

—Si te cuento que no me gusta y que quisiera que no fuera cierto, ¿me crees?

—Cuéntame.

—Se llama Marlo, es mi profesor y resulta que Cristina, mi única amiga de la escuela, está enamorada de él. Yo pretendí ayudarla en su romance. Imagínate qué mal me siento, José Carlos. Ni modo que le diga a Cristina que resulta que es a mí a quien prefiere. ¡Qué mal! ¿No?

—¿Es española?

—Ajá.

—Bueno, preséntamela y te hago el quite.

—¡Ay, qué chistoso! ¿No?

—¿Celos?

Ya es de noche. ¿Dónde ha escondido mi bolsa? No puedo convencerlo de que me la entregue. Le digo que así, tampoco me quedaré.

—No huyas, cobarde.

—No es eso. Hemos estado juntos todo el día. Si sigues jugando al niño, tendré que pedir limosna para comprar mi boleto del tren.

—¡Hipócrita!

—¡José Carlos!

—¿Quién te importa más?

—No me atormentes.

—Tienes miedo. Sí, miedo a vivir tu vida.

Me entrega mi bolsa y, sin añadir nada, se va a la recámara cerrando la puerta. No sé qué hacer. Realmente no sé. Me dirijo al cuarto y me siento a un lado suyo en la cama. Acaricio sus cabellos sin mirar. Cierro los ojos. Hablo diciendo lluvia, viento, sueño.

Nuestros cuerpos vuelven a encontrarse, se funden en la noche, se pierden con el humo de las chimeneas.

XIV

¿De quién son ahora estas palabras?
¿Qué movimiento realizan en la conclusión de mis actos?
¿Qué apariciones y qué ausencias las hacen posibles?

Tengo fiebre. Trato de saber qué puede ser y no lo sé. Ningún síntoma acompaña la temperatura. Me muero de imaginar que pasaré todo el día en compañía de mi tía, quien estará seguramente de regreso de misa. ¡Mucha misa, sí!

Le he prometido a José Carlos que buscaré trabajo, aunque sea de niñera y que con el primer sueldo me iré a vivir a otro lado. Dice que me quiere y logrará que me salga de aquí. Por eso, porque sé que me quiere, tengo que hacer algo pronto, antes de que se aburra y me mande a volar. Mañana preguntaré entre mis compañeros de la escuela; debe haber algún empleo.

—¡Hola! Tú eres la sobrina, ¿no es así?

—Sí, pasa. ¿Quién eres?

—Me llamo Patricia. Trabajo con tu tía y me citó aquí para ir a comer.

—Sí, como no. Me habló de ti varias veces. No creo que tarde mucho. Siéntate. ¿Te sirvo algo? Y como me imagino que ya la conoces, no me veo en la obligación de prevenirte.

—¿De qué?

—De que tal vez te deje plantada. Lo más seguro es que olvidó que salen a comer; todo se le olvida, menos hacerme la vida de cuadritos, por supuesto.

Patricia está muy arreglada. Como si hubiera pasado horas frente al espejo tratando de hacerse grandes los ojos verdes y recogiendo su pelo negro hacia atrás. Creí que era de la edad de mi tía pero anda en los treintas y es atractiva. Además, con el cabello corto, la ropa francesa y su aparente nerviosismo luce más joven. Es ordena-

da; se nota, como se nota también que su acento es gua-
temalteco.

—¿Fumas? O no me digas que no te dejan. Y tú de
tonta si le haces caso. Vaya, nos llevamos bien porque
siempre le digo sus verdades. Es lo que necesita. ¿Cómo
te va con ella?

—No te digo que me hace la vida de cuadritos —
comento mientras enciendo el cigarrillo.

—Oye, chica, ¿que le has sacado canas con un barbón?

—¿No sabes de algún trabajo? ¡Ay, disculpa! No uses
ese cenicero; aquí todo es como en las tiendas: para ver-
se. Deja traerte uno de la cocina.

—Me da risa esta mujer. Que te ha presentado chicos
ingleses y que no sales con ellos... Le digo que me los
presente a mí.

—Pues sinceramente no te los recomiendo, saldrías a
hablar de *How nice is the weather today. Isn't it?*

—Pues mándala a volar y se acabó.

—Ojalá fuera así de fácil. Necesito un trabajo para salirme de aquí.

—Mira, comparto el piso con una australiana y una
inglesa. Dentro de dos meses la australiana regresa a su
país. Tal vez...

Al fin alguien contestó mi SOS, y las posibilidades de
aproximarme a José Carlos aumentan. Lo único que me
falta, porque todo me sale pésimo, es crear un conflicto
internacional; quiero decir, "*you know*", como dicen los
ingleses, méxico-guatemalteco. Porque para las amigas
tengo suerte; cuando mejor me llevaba con Cristina, se
le ocurre a Marlo enamorarse de mí. Lo bueno es que
yo le dije a ella que estaba enamorada de José Carlos y
se lo he repetido hasta el cansancio. Así que Cristina lo
sabe, pero de todas maneras me siento culpable.

—Patricia, ¿sabes lo que me estás ofreciendo?

—Mi amistad.

—Es la mía a cambio de la de mi tía que perderás definitivamente.

—Todo lo arreglaremos sin que ella lo sepa; no te preocupes. Nunca vendrá al departamento. Ahora, platícame, ¿quién es ése...?

No la oigo terminar. Ya me veo instalada en un cuarto pequeño, decorado con muebles victorianos. Escucho a la inglesa prepararse un té, y a Patricia prendiendo el radio. Me siento libre, tranquila, decidiendo por mí y para mí. Ya veo también que dejo el cuartito que no era victoriano, para irme con José Carlos. Patricia me simpatiza, es franca. Me cae de variedad su acento y no puedo evitar una sonrisa al oírla pronunciar su "gurmonin" por aquí, su "gurnait" por allá. Nuestro primer encuentro y nuestra antigüedad de ayer, nuestra aurora del mañana. Mi compañera de piso, deposito sobre tus manos mi cansada soledad, mi amiga, mi confidente, mi cómplice. Hace mucho venía buscándote.

XV

Se abre la noche como un gran libro ilegible sobre la selva.

Me siento tan rara en el departamento de Marlo... y es por Cristina, a quien no quiero hacer daño. Pero me dio tanto coraje pelear con José Carlos, quien dice que me quiere alejar de Caribdis y que le contesto que he empezado a estrellarme en Escila. Y ahora mi dilema crece porque no sé qué otra roca es ésta que se llama Marlo y que se está metiendo donde no lo llaman.

Como siempre, José Carlos presiona, pero me quedé callada porque le quiero dar la sorpresa; mañana resuelven del trabajo en la escuela: profesora de español. Me instalaré con Patricia y ya no la seguiré viendo a escondidas del torbellino a quien por fin le diré que voy a vivir mi vida. Entonces José Carlos no se verá orillado a recibirme y a que nos muramos de hambre los dos. En cambio, si cuando regrese de su viaje aún quiere que vivamos juntos, iré con él.

Este sitio es muy pequeño, ya no aguanto el humo de los cigarros en los ojos; me arden. Somos muchos para un lugar tan poco ventilado. ¡Qué buena idea! Al salir de la cocina, vaso en mano, el amigo de Marlo le pone al vaso nuestro nombre con tela adhesiva. No sé que discute Marlo con Jean, el belga, quien me ofrece un cigarro, ¡qué amable!

—*Don't smoke it.*

—*Why, Marlo?*

Sí, es muy fuerte; pero no Gitanes. Los dos esperan algo, pero no sé qué. Jean me quita la colilla. José Carlos, ¿Qué es esto que estoy haciendo? ¿Qué me va a pasar? Quieren una reacción, pero no sé cuál. Me reclino en la pared. El humo del cigarro de Jean se va hacia lo lejos; poco a poco se deshace hasta desaparecer. Cada vez que el humo sale de su boca, forma una especie de

cono, juega con el aire y se pierde. ¡Es precioso! Algo
que siempre sucede y que sin embargo nunca había visto. Empiezo a sentir maravillas. Te imaginas, José Carlos, que me fuera gustando, ¿qué dirían en México? Le
gusta la droga y el sexo: ¡es una perdida! Ni siquiera sé
si pueda contártelo; me dará pena, porque me vas a apretar y me servirás un vaso de vino. Mira, los colores de
todo se han puesto muy intensos. Es un cuadro en tercera dimensión: Al fondo, por la ventana, está el cielo pin-
tado de noche; no veo azoteas ni tendederos: nunca los
veré en Londres. Luego está un espacio ocupado por el
aire que me deja sentir su movimiento muy espeso, y en
primer plano —cerca de mí—, están ellos, los demás.

Cristina estará feliz con Marlo, como cuando yo estoy
contigo. Se mueven en una especie de cámara lenta. Siguen un ritmo interno que les marca el tiempo de ida y
de vuelta. Todos vacían y vuelven a llenar sus vasos; pero
nada de cubas libres ni de margaritas, únicamente vino:
blanco y tinto.

Me topo con los ojos del belga; le hablo, contesta. No
decimos algo concreto pero nos entendemos muy bien.
Es como si pensáramos, no importa lo que digas, yo lo
sé. Lo entiendo; hasta que tiene la estúpida ocurrencia
de invitarme chez lui.

Le ordeno a mi cuerpo el movimiento y voy al corredor. Una vela proyecta mi sombra en la pared y la hace
gigantesca. Empieza a bailar con la música de Moustaki
que se desprende de la diminuta estancia. Miro jugar con
los sonidos a las sombras. No sé de qué hablan los otros
pero algo ocurre. Todos nos reímos mucho, como cuando nos ponemos simples y nos reímos de cualquier cosa.
En una palabra, estoy rodeada de un mundo de fantasía
que es tan real como yo misma, José Carlos. Cuando te
describa lo que veo, será como un mundo patas arriba,
en el que la materia se convierte en espíritu, en donde
los valores aparecen como hechos, en el que sin dejar de
estar adentro, me siento afuera.

Puedo jugar con todo, con las palabras, los gestos, la

lluvia… porque llueve.

Pregunto a Marlo por el tocador para que no me siga, y bajo las escaleras rumbo a la calle. Camino. Mañana sabré si me aceptan en el trabajo.

XVI

La imaginación no es siempre el más aconsejable espejo donde
*   mirarse,*
donde cruzar a la otra orilla,
y estar al mismo tiempo en el sitio que nos hemos fijado,
en la cita puntual con nuestra propia mirada.

—*You must pay atention.*
—*Yes, I'm sorry.*

No sé si quiero a José Carlos o no, o hasta qué punto lo quiero. Y si dejara todo esto para irme con él, ¿me arrepentiría después? Y mi mamá: "Mi hija no haría una cosa así".

—*Tha's right, Christine!*

Cristina debe ponerse feliz cada vez que Marlo se dirige a ella, que a pesar de su coquetería chocantona y melosa no ha podido ligárselo. Desde que sabe que ahora doy clases, permanezco en el salón de profesores y tengo derecho a disfrutar de su bar y de tomar el té en su compañía, me interroga tanto acerca de él, "¿con quién charla? ¿come mucho? ¿te dice si le gusta alguien? ¿si lo invito a la fiesta de mañana vendrá conmigo?", que lo único que le falta es preguntarme cuántas veces va al baño. Palabra, Cristina, no vayas a creer que te lo ando quitando; no, al contrario, cada vez que puedo le suelto un *She's very nice* o de plano un *nice* de cualquier cosa tuya o de ti; pero ya vez, empieza con su insistencia en ayudarme en algo, en prestarme un libro, en pagar mi té... y lo juro, me la paso piense y piense en José Carlos, en por qué no me voy con él que me da todo lo que tú quisieras que Marlo te diera. Yo creo que la culpa de todo la tienen las monjas de la escuela: nos infundieron sus malos pensamientos, sus amenazas y temores a Dios. Las hubiera yo querido ver en esto. Y si lo que pasa es que dudo porque no lo quiero lo suficiente, viviendo con él,

71

¿no me echaría en cara todos esos detalles de "mucha-
chita burguesa"? No será que ahora sí aguanto en un
cuarto encerrada con él mientras escribe, pero ¿puedo asegurar que toda la vida estaría encerrada en una habitación solitaria, inventándome quehaceres durante el tiempo que él teclea? Quizá entonces me mandaría a la calle
con cualquier pretexto para que no lo distrajera.

— *Alí, ask her if she...*

¿Por qué siempre le pedirá a Alí que me hable? ¿Será
porque sabe que me cae mal ese argelino con su cara de
tonto, no lo soporto más con su cancioncita de "Si tu
veux, c'est bien, si tu ne veux pas, tan pis, je n'en fairas
pas une maladie". A lo mejor José Carlos está loco y con-
tagiándome su locura poco a poco sin que yo lo note.
Siempre me trata como a una niñita; tal vez ni me quiere, sólo cree que necesito protección. ¿Me engaña? Es
muy grande para mí. ¿Qué pensará él? ¿Qué estará haciendo ahora? Dice que soy muy convencional pero yo
no lo noto; soy igual a los demás; al menos a los que están cerca de mí.

— *That's wrong, Luisa. Say it again.*

Pobre Luisa, ella estará peor que yo, en las manos de
ese árabe rabo verde que la hace trabajar mientras él se
pasa fajándole a la que se deja y ahora que han acepta-
do hacerse cargo del pequeño coffee break room, allí
la va a tener, detrás del mostrador, sirviendo las tacitas
y los canapés, exigiéndole que lo haga rápido; y él se bo-
tará solo todo el dinero. José Carlos pensará que no lo
quiero, que no me importa, que me acuesto con alguien
más y que por eso no me voy con él. No, él nunca creería
eso de mí, estoy segura. ¿Por qué no me habrá llamado
ayer? ¿Estará saliendo con alguien más? Lucinda es la
única persona que podría decírmelo, pero no me atrevo
a preguntarle por temor a que me diga que sí. No sopor-
taría saber que todo lo que José Carlos dice y lo que hacemos juntos lo comparte con otra. Le dije que tenía que
preparar los exámenes de mis alumnos, que por eso no
iba a ir; así que si le caigo de pronto en el departamento

corro el riesgo de oír una voz de mujer preguntándole
si le sirve más café o si van a salir por la tarde después
de que termine lo que está escribiendo. Y no me imagino
que haría yo, porque si anduviera con todas las mujeres
de Londres, lo seguiría amando igual.

—*To wait, I wait, I'm waiting, I'll wait, I have to wait
and I...*

Eso es, *esperar* a que llame, hable, venga. Así como
éstos me gustaría que fueran los pizarrones en México:
escribir con plumón y borrar con agua; no que el gis se
mete hasta en los huesos. Pero ni siquiera ha vendido a
la escuela, ¿se estará aburriendo de mí? Debe estar pre-
parando su viaje feliz de la vida y yo aquí, hecha una
idiota, pensando en él.

—*If you dance tonight with me, you could...*

Otra vez Goffy con su bailar, sólo piensa en estar bai-
lando. Todos los ejemplos los ilustra con ese verbo. Dicen que los negros llevan el ritmo y la música por dentro; pero éste exagera, aunque es simpático, ni hablar.
Cómo quisiera estar en este momento contigo, José Carlos; en otro lugar, en otro país. Dices que te acordarás
de mí por todos lados donde vayas, que me buscarás en
París, en las carreteras, en los espejos, en las canciones,
en los sitios donde los hombres se reúnen con los sueños, en el ruido de la lluvia.

—*Where are you, dear? Have you something to say?*

—*No. I'm sorry.*

Tengo que concentrarme, si no Marlo me va a echar
un sermón después de la clase. ¿Qué voy a hacer cuando
José Carlos no esté aquí? He empezado a extrañarlo y
todavía no se va.

XVII

El sueño, esa historia sin armas,
esa voluntad que es parte de los labios,
ese pacto con el corazón más breve de la locura.

—Desde que llegaste has estado muy pensativa, ¿te preocupa algo, verdad?

—No, Patricia.

—Yo creo que ha de ser el estar trayendo tus cosas poco a poco a escondidas de tu tía. Si te preocupa tanto, todavía estás a tiempo de...

—No, Patricia. No es eso, si cuento los días para que la australiana se vaya y me quede yo aquí.

—No me gustaría que pensaras que voy a ser como tu tía; pero tienes algo y quisiera saber qué es.

—Es sólo un sueño y estoy tratando de encontrarle sentido.

—¡Ah, bueno! No tienes de qué apurarte. Yo creí que era un enojo con José Carlos; alguna discusión con tu tía.

—¿Crees en los sueños? Este debe tener algún significado:

Soñé que caminaba por el rumbo de Piccadilly de noche. A lo lejos veía algo a la mitad de la calle; de pronto me daba cuenta de que era una cama. ¿Te imaginas una cama en el asfalto? Como que no es creíble, ¿verdad?

—¿Quieres té?

—Sí. Gracias.

—¿Y luego?

—Por curiosidad iba a tocarla y ¿qué crees? Era mi cama, la del departamento de mi tía; ésa que está cerca de las sillas Luis XV, de los ceniceros de cristal cortado, de las figuritas de porcelana que creo van a bailar cada noche. Pues, si ver la cama allí me descontrolaba, imagínate cómo desperté cuando se volvió hacia mí un policía que estaba dándome la espalda. ¿Sabes quién era? Mi mamá.

—Con eso cualquiera se asusta; no te preocupes.

—Ponle otra de azúcar, por favor.

—Lo peor es que antes de ayer soñé también con mi cama; pero un sueño completamente distinto y más atroz. Estaba dormida y bien calientita, pero alguien prendía la luz y me daba tanto coraje que me ponía unos lentes como para ver mejor, y comenzaba a morder las cobijas, a desgarrar las sábanas. Me arrancaba los tubos del pelo con una desesperación tremenda: gritando. Me revolcaba y con la almohada en las manos rompía los adornos de la sala... Comenzaba a reaccionar horrorizada y corría al baño a echarme agua en la cara. En eso que me veo en el espejo, el cabello erizado, los ojos hundidos y mi nariz aguileña convertida en una trompa larga hacia adelante. Lo tuve que aceptar: era un jabalí.

—¡Esos no son sueños, son pesadillas! Mejor vamos a cambiar el tema, ¿ya le avisaste a tu mamá que te vas a venir a vivir aquí?

—No le voy a decir nada hasta unos días antes.

—¿Y José Carlos qué dice?

—Que sólo estaré aquí mientras él viaje y que después buscaremos un departamento pequeñito, donde quiere terminar el libro que ya casi ha acabado. Hugo le ofrece un cuarto, pero José Carlos no lo va a aceptar, al menos mientras todavía tenga lana. Por eso tengo que ahorrar lo más que se pueda. Además no te he contado que ya me ofrecieron dos grupos más en la escuela. ¡Con razón esa cara! "Lana" es lo mismo que "dinero".

—Creo que su viaje te va a servir para saber qué tanto lo quieres. Es bueno.

—¿Cómo no lo voy a querer, cuando estoy decidida a mandar todo por un tubo para vivir con él? Más bien es él quien se dará cuenta. Le he dicho que si cuando regrese ha visto que no me quiere...

—¿Te lo diría?

—José Carlos sí. ¡Me canso! Pero está empeñado en que lo voy a alcanzar y no sé cómo, porque no he aprendido a robar bancos.

—Si tuviera dinero... ¿cómo dices? "Lana", te la prestaba.

—Gracias, Patricia. ¿No tenías novio en Guatemala?

—Muchos. Pero nunca me enamoré y por eso decidí venir a Europa y después de vivir sola, no pienso regresar.

—¿Y te gusta el holandés?

—Me encanta pero es tan frío que me desespera.

—Ya me voy. Quedé de ver a José Carlos a las cinco y apenas llego. Hasta mañana y gracias.

—Nos veremos.

No sé por qué me preocupa tanto lo que sueño, cuando a lo mejor ni estoy en Londres ni conozco a Patricia, ni nunca me he enamorado de José Carlos. Lo que me debería de apurar es cómo le voy a hacer para pasar el dichoso examen, si voy tan poco a clases.

XVIII

Columpio de la memoria,
marea resultante, ¿lo actual es lo presente?
El presente se define por la escalera de este sueño,
evocar un recuerdo es desplumar un deseo pasado.

—¿Cómo te fue?

—Muy bien. Estuvo genial.

—¿Qué te dijo del manuscrito que le enviaste?

—Que nota un rumbo nuevo en mi poesía; es decir, que hay un cambio en mis últimos poemas. Hablamos de poeta a poeta, de amigo a amigo, de México, de pintura, de la cocina del sureste. Cuando nos dimos cuenta era hora de cenar y fuimos a un restorán de Kings Road los tres, y seguimos hablando durante la cena.

—¿Su esposa también hablaba?

—Sí. ¿Por qué?

—¿Crees que algún día yo podré acompañarte y no hacer el ridículo?

—¿Por qué el ridículo?

—Yo no podría decir nada.

—Yo tampoco sé mucho. Siempre hay que aprender. Uno se da cuenta de que sabe poco. El, sí; ya verás cuando lo conozcas.

—Lo conocí en París. Siempre me atrajo mucho su personalidad. Era parte de mi mundo fuera del internado...

No puedo ser sincera contigo, José Carlos. Decirte realmente bajo qué circunstancias lo conocí. Si te cuento la verdad no la vas a creer, o es que me da pena, o es que es de más categoría decir: "Lo conocí en París", a decir que mi mundo fuera del internado no era muy grande, que vi muchas cosas sin verlas, que oí mucho y no supe de quién. ¿Estudiaste en París? ¡Qué maravilla! Sí, entre las cuatro paredes del internado por mucho tiempo, dejando afuera la Torre Eiffel, los clochards dormidos

bajo los puentes del Sena y después viendo desde el coche que me conducía a casa de los amigos de mi mamá
que empezaron a recibirme los fines de semana, los días
de congé y las pequeñas vacaciones, Montmartre, Mont-
parnasse. ¡Ah! pero la Place Pigalle, Le Moulin Rouge
y el Lido, ¡ni desde el coche, señores! Y que ése era mi
mundo, aparte de acompañar a ''mis tíos'' por aquí y
por allá y de esas visitas a la embajada de México, natu-
ralmente en su compañía. Sí, allí fue donde lo vi muchas
veces de ojos azules, me ponía a platicar con Carmen,
su secretaria, mientras mis tíos arreglaban sus asuntos y
allí lo espiaba por la rendija de la puerta, sentado, atrás
de su escritorio, con la pluma en la mano, con un libro
abierto, golpeando un lápiz contra la mesa, hablando
solo. Por supuesto que lo veía mover los labios y se oía
un dulce murmullo saliendo de allí. Una mañana acom-
pañé a mi tío a la embajada a ver al cónsul, saludó al
Maestro, como le dices, en la puerta me presentó. Fue
muy amable conmigo, dijo que había conocido a mi padre, que le había traducido un libro al francés haciéndo-
le un prólogo. A partir de ese día, algo pasó en mí, ya
no lo espiaba porque me gustaban sus ojos o la tranquilidad de su cara sino porque le iba atribuyendo caracte-
rísticas que desde luego él no se imaginaba ni se lo ima-
ginaría jamás. Por ejemplo, me le quedaba viendo, me
llamaba con su voz suave, me decía ven. Al entrar en su
despacho veía sus manos: no eran suyas, eran las de mi
papá. Así, sus ojos, su boca y todo, iba siendo mi papá
quien lo movía. Carmen, que era mi amiga, me arrancaba de esos inventos: ''Ya se van tus tíos'', ''ya te andan
buscando para irse''. Y lo peor, lo más triste, es que a
pesar de tanta imaginación, nunca supe quién era ese señor. Sabía que era ministro, inteligente, poeta, que todos lo admiraban. Pero fue en México, años más tarde,
en la prepa, cuando una mañana me hablaron de él. Y
así como pasó con él, me sucedió con muchos más; nada
menos que... ¡Ah! Ya me acuerdo. Vamos en el auto por
una gran avenida; no se puede avanzar aprisa, ¡qué rui-

do! ¡Cuántos claxones suenan! Se han bajado de sus coches dos señores frente a nosotros, discuten, gritan, manotean, se vuelven a subir para manejar con el mismo enojo. Pisan el freno y tocan con la misma insistencia las bocinas. La multitud de la calle se renueva a cada instante; noto que en su mayoría son jóvenes los que van, vienen, se tropiezan y cruzan las calles. Una pareja camina al lado del coche, a la misma velocidad. Los observo. Descubro asustada que la mujer a pesar de llevar los ojos pintados y maquillaje no tiene pecho, ni siquiera como yo, apenas un poquito. Me fijo bien, tiene bragueta su pantalón y sus manos son de hombre. Mi "tía" que ha advertido mi desconcierto comenta como quien no quiere la cosa: ¡Estos maricones, cada vez más descarados! Yo me pongo feliz; me encanta la idea de ver dos homosexuales de carne y hueso, de pensar que lo que había maliciado era verdad. Además, cada quien su vida, ¿no? "Vamos por Saint-Germain-des-Pres", me dice. Al dar vuelta dejamos atrás una vieja iglesia y docenas de cafés al aire libre: Les deux Magots, el Flore, Sartre, Simone de Beauvoir. Por fin nos detenemos frente a una especie de privada como esas que hay en México, en el centro de la ciudad. Le dice al chofer que busque dónde esperarnos y entramos al edificio de junto. Me sorprende que su amiga viva en un lugar tan feo, tan viejo: Rue de la Grande Chaumiere. Subimos por una escalera óscura hasta el segundo piso, todavía creo que hay una equivocación. Una señora rubia de tez colorada nos abre la puerta; descubro su altura y la ropa elegante. Pienso que es francesa pero su voz de niña nos saluda en español, en perfecto español. No podemos sentarnos porque se acaba de cambiar y está todo tirado: cajas de cartón, libros, cuadros, ropa, ropa por donde quiera. Se disculpa por el tiradero; nos explica que el departamento era una ganga, que es antiguo. Veo el espesor de los muros porque insiste que es lo mejor del lugar y no entiendo, sí que no entiendo nada. Se acerca su hija, mayor que yo, nos ofrece algo de tomar, a mí también, ¿te imaginas?

—¿Tú, qué quieres?

La señora de la voz delgada comienza a hablar de su lucha por los campesinos de Morelos. Yo no doy crédito, me tiene embobada. No le quito la vista de encima, como si fuera su palero. Entra un muchacho de tipo oaxaqueño; no sé si es el mozo. Dudo por la manera en que lo tratan. Pero nada, que va diciendo que es un artista, un magnífico pintor y que se lo han traído a París para que estudie pintura. Entonces sí que es mi máximo. Veo el desorden como parte de la decoración, como parte de su personalidad. Empiezo a descubrir las pequeñas cicatrices de su cara y me dan ganas de fumar. ¡Si supiera fumar lo haría como ella! Cuando estoy entrando a su mundo, mi tía se despide. Hago cara de que no me quiero ir. Me invitan a regresar cuando se me antoje, a que las acompañe, a poner algo de orden; y lo dicen sinceramente, lo siento, lo creo.

Paso dos semanas o tres deseando que mi tía, bueno esa amiga de mi mamá, acuda a visitarlas. Como nada sucede, miento por la primera vez y lo haré otras tantas: "Mi amiguita de la escuela me invitó, déjame. Iré con cuidado". Salgo a buscar la aventura. Hay algo en ese lugar que atrae, entusiasma, llama la atención y regreso varias veces. Siempre el mismo desorden la ropa abajo y arriba de los bultos; pero han blanqueado esas paredes, la madera se ve brillante, ya se distingue a través de los vidrios la calle. Pero seguimos sentadas en el suelo. Me encanta ir porque todo lo que dice es divertido aunque no conozca a los protagonistas de las historias. Todo lo que ella cuenta me hace reír: "que a fulanito, nada menos que don Salvador, le tuvieron que dar su boleto de regreso a México al día siguiente de que llegó, ¿sabes por qué? Se subió a un elevador de esos transparentes que se mueven todos; tuvo miedo y bajó las escaleras pidiendo, ¿qué digo? exigiendo su boleto. Que sutanito, tu mamá lo debe conocer, cerró anoche el Moulin Rouge; imagínate, todos persiguiendo a las del show. Estos mexicanos tan desgraciados. Menganito tan fino que aparenta, después del cocktail de la galería, le puso una golpiza a la tonta de mi amiga. ¡Yo le hubiera puesto una demanda! Pero ella tan abnegada, tan pendeja, está esperando a ver a qué hora le pone la otra''. Estoy segura de que a ella le gustaba contarme todo eso porque yo la oía con verdadero interés, casi sin parpadear. A mí me gustaba ser tomada en cuenta, como adulto. Le importaba mi opinión, y cuando su hija le decía: ''Para qué le cuentas esas cosas?''. Ella le respondía que yo las entendía muy bien, que era muy inteligente. Qué quieres, José Carlos, me daba atole con el dedo a mí también. A veces me comentaba algo del maestro; yo pensaba que eran amigos, pero nunca, ni por la imaginación me pasó que una vez hubieran sido marido y mujer.

—¿Cómo?

—Ni me preguntes. Tengo una razón más para pensar que podría hacer el ridículo. Fíjate, pasar todo un año de noche.

—No entiendo.

—Nada, José Carlos, que con trabajo me acuerdo del francés. Ahora que estuve con mis amigas, vi París tan diferente. Sí me acordaba de todo, pero sentía que era otra ciudad y con eso de que la limpiaron...

—¿Qué pasó? ¿Vamos a ir al cine? Es una película de...

—...esas que no debes perderte —lo imito.

¿Dónde podría yo estar viviendo la garantía de mis palabras, José Carlos? No quise hablarte de París donde la vaguedad de mis actos reinó por un año, donde la noche puso un velo a los rostros que veía, donde me fue negado todo conocimiento de la verdad porque no estaba preparada para ella. Pero aquí, en esta otra ciudad, donde puedo tocarte, descorrer el velo, donde te he entregado mi capacidad de mujer, las ganas de aprender el juego; aquí, José Carlos, donde sé que va a llover mañana, no puedo fingir que es de noche, que voy a poner mi libertad junto a tu mesa. No puedo buscar las cuatro paredes del departamento de mi tía y refugiarme en ellas. Estoy de frente para mirarte. Sé que eres tú quien me habla, sé que son tus palabras las que me acorralan en el pasillo de mi conciencia. Advierto que eres tú quien me va descubriendo esta otra ciudad y tengo miedo, José Carlos. Miedo de ser niña, miedo de perderte, de dejarte ir y que después ya sea demasiado tarde.

XIX

Mañana diré la palabra que amanece al día siguiente flotando en los estanques.
Mañana diré la palabra que lucha en el festín de los animales de invierno.

Ahora sí, ni modo que le diga a Marlo que se regrese. Ya no quiero ir. No sé por qué me dio pena decirle que no. Pensé que Richmond Park estaría más cerca. ¡Qué flojera! Menos mal que Marlo es buena gente; desde que yo también doy clases tiene muchas atenciones conmigo, da tips, corrige constantemente mi acento. Sí, sí: me había fijado; es cierto. Marlo es muy guapo, pero de todas maneras no me gusta, Cristina. No te preocupes, no te lo pienso quitar. No sé para qué le dije que me gustaban los parques de Londres, tan verdes, tan bien cuidados... no habría conseguido el coche. ¿Cómo decirle después de que le costó tanto trabajo? Cristina, te lo juro, me siento muy mal, palabra que le voy a hablar de ti todo el tiempo.

—*Marlo, why don't you go to the University?*

Oye, no me digas que no puedes; deberías de poner algo de tu parte. Casi todos en la escuela estudian. O ¿vas a dar clases toda tu vida? No me lo agradezcas, lo digo desinteresadamente. Es una lástima que desperdicies tu inteligencia. In-te-li-gen-cia, ja, ja, no te rías y corrígeme; no importa que estemos de paseo. Fíjate, más que un parque, parece un bosque, ¿es muy grande? ¿Todos los parques son así en Inglaterra. Sí, hombre. Sí me gusta caminar. ¿Siempre hay tan poca gente? Si conocieras... en México hay un bosque muy grande y todos los días son de fiesta en él. Puedes hacer cualquier cosa, llevar a los niños al zoológico; allí montan a caballo pasean en carros jalados por cabras... ¿Cómo dices que se pronuncia? Suben a los árboles, se columpian, lloran por un al-

godón (como un algodón pero está hecho de azúcar y es
rosa), también puedes remar igual que en algunos lugares de aquí (sobre todo jóvenes y algunas parejas; les debe
parecer romántico, ¿no crees?). Está lleno de enamora-
dos por todas partes, bajo las sombras de los árboles,
en los juegos de la feria. Sí, hay una feria muy grande.
Ves muchos abuelos paseando a sus nietos y comprán-
doles no importa qué para ganarse una sonrisa. Claro,
hay muchos vendedores ambulantes; toda clase de dul-
ces, tortas (un sándwich pero con pan francés), juguetes
baratos y hasta ropa. En medio de todo ese alboroto,
siempre puedes distinguir desde lejos el silbato del glo-
bero que se va acercando con un mundo de colores que
se eleva por encima de la cabeza de cualquier jirafa. ¿Que
aquí hay venados? ¡Ah! Andan sueltos como en su casa,
¿qué? ¿Qué quieres saber de mí? ¿En México? Es diferente, nada es igual. A nosotros la familia nos da en la
torre, ¿un ejemplo? A ver, ¿cuántos hermanos tienes?
¡Una! ¿Estás seguro? Digo, porque a nosotros siempre
nos queda la duda. Yo tengo cuatro y somos pocos para
el promedio allá. ¿Tienes veinticuatro? Y vives solo desde los... diecinueve, ¡no! Mis primos, hermanos, cono-
cidos y desconocidos viven en sus casas veinte, treinta y
cuarenta años; muchas veces después de casados y si no
se casan pues con mayor razón. Sí, de verdad, palabra.
¿Por qué te iba a engañar? Pregúntale al otro mexicano.
¿Qué hace tu hermana? ¡Ah! Estudia en Oxford, vive sola
desde los dieciocho. ¡Qué bueno! No, fíjate, en mi medio vivir sola es ser hija de la mala vida, no querer a los
padres que nos dan todo. ¿Para qué dejarlos si no es para
un fin extraño? ¿Estudiar? Sí, como no. Ahora más que
antes, pero de todas formas a lo único que aspiramos
es a casarnos y a casarnos bien, si no qué chiste tanto
esfuerzo de nuestros padres para mandarnos a los cole-
gios más caros. ¿Carrera? Pues sí, muchas la empiezan
o la acaban, pero no se vuelven a acordar de ella. ¿Que
qué? Estás loco. ¿Cómo crees que los maridos las van
a dejar trabajar? En mi medio no, bueno. ¡Es tan difí-

cil! Ya te dije, se ve que nunca habías tenido una alum-
na mexicana. No sé cómo explicarte en inglés, pero en
México la costumbre es que el hombre haga todo: trabajar, mantener a la mujer y a los hijos, flirtear, ir de paseo, comer y cenar fuera de casa (por negocios, no vayas
a creer que tienes la obligación o la necesidad de pensar
mal), ya te dije que en mi medio… Bueno, Marlo, si no
me lo vas a creer no te vuelvo a contar nada. ¿Yo? A
mí ya me están comiendo las malas lenguas porque ando
de blue jeans, quiero estudiar cosas raras y saldré al cam-
po a alborotar porque mi escuela es de lo peor, los que
vamos, está seguro es porque somos un poco locos, nos
da por ponernos ropa indígena, somos un nido de roji-
llos, tú dirás. ¿Problemas? Sí, la verdad, tengo exacta-
mente doscientos cincuenta y dos prejuicios aunque a veces creo que son doscientos cincuenta y uno. Pero, digo,
ahora mismo por si quieres saber, no me gusta que tra-
tes de acercarte más de la cuenta ni esa insistencia por
tomarme la mano, aunque la esconda, aviente una pie-
dra, recoja una vara. Nada más estás viendo a qué hora
y ¡zaz! a hacerla prisionera. ¿Que si tengo novio en México? Pero, ¿para qué te cuento? Ahora sí ya echaste a
perder el paseo. ¿Que te gusto? ¿Ay! Si no empiezas hasta
hubiera podido jurar que no me iba a acordar de José
Carlos. Lo siento mucho, si Cristina supiera… no puedo
hacer nada por ti. ¿Pensaste que tú también me gusta-
bas? ¿Que te he coqueteado? ¿Que he sido dulce contigo? No sé por qué lo he hecho, Marlo. Para ser más sincera te confesaré: sabía que el pretexto para enamorarme
era este parque con sus venados, ardillas y esos pájaros
tan lindos; si los hubiera visto José Carlos te habría pre-
guntado su nombre. ¿Cómo se llaman? ¿José Carlos? Sí,
es mexicano, es… sí, lo quiero, estoy enamorada, me gusta, me atrae. ¡Es horrible sufrir así! ¿Por qué? Porque
ahora mismo frente a ti, no sé qué tanto lo quiero, ¿en-
tiendes? Yo tampoco, Marlo, pero ahora no me molesta
el que tengas mi mano entre las tuyas. Y ahora, ¿qué le
digo a la estúpida de Cristina? ¿Un beso? ¿Para qué, para

qué un beso? Sí, aquí vive, casi todos los días. Bueno, últimamente no todos, se va de viaje y... ¿Qué? ¿Por qué no vivo con él? Un momento, no es que no encuentre la palabra en inglés, espera un segundito, estoy pensando. La respuesta es fácil de encontrar, la tengo en la punta de la lengua, ¿que por qué no vivo con el, verdad? No es miedo, con todo lo que digo debería estar viviendo a su lado; no sé qué pasa que no puedo, algo me lo impide. Sí, me quiere. Lo mismo que tú, que no entiende, que es fácil. ¿Mandarme al diablo? ¿No oíste que me quiere? Oye, ¿soy muy complicada? ¿Lágrimas? ¿Llorar? No tienes que entender nada. Ya te dije. Mira, es como un juego: él estira y yo aflojo; él afloja y mi tía y todo lo que nos rodea estira. ¿Cuánto tiempo? (un suspiro), mañana, y mañana diré mañana y mañana pasado mañana (huelo una flor), ¿casarnos? No, a pesar de lo que te dije antes, no vamos a casarnos; no me importa, lo sé, lo presiento, lo mastico, ¿para qué crees que estoy trabajando? (la pondré en agua al llegar). Sí, cansada de caminar, vámonos, ¿sí? Oye, ¿nunca has invitado a Cristina? *She's really nice* y yo creo que le gustas. Siento mucho desilusionarte pero ya vez, lo quiero, está en mí, cuando venga de su viaje todo va a cambiar, será diferente, con el dinero de los dos podremos...

¿Desde qué hora te estoy besando? Ahora sí tengo ganas de llorar. No estoy segura de lo que siento; tampoco te he engañado, Marlo. Es horrible. ¿Cómo ha sido? Ya no sé si estás aquí conmigo o yo estoy en este mismo paisaje, a tu lado o si la distancia que me une a José Carlos está entre los dos; separándonos a ti y a mí, tendiendo un puente entre él y yo. Cristina, ¿soy muy mala, verdad?

No puedo borrar los pasos que me unen a ti, José Carlos, ni retrasarlos. No es el olvido quien ha puesto mi mesa; sin embargo, estuve a punto de reclamar el menú, de fingir que tenía hambre, de sentarlo junto a mí y darle de comer. Nos hemos besado y en la mitad de este bosque lo volvería a besar, sin simular mi deseo, sin que me sorprenda, sin encontrar la causa de este silencio, sin

guardar la mirada dentro de una caja, sin sospechar que
el instinto dio vuelta a la llave, subió al auto y vino con
nosotros a pasear. ¿Qué es esto, José Carlos? ¿La lluvia
que empieza a caer dentro de nosotros? ¿Palabras que
no llegaron? ¿El viento que nos ha hecho una mala ju-
gada? Es un diálogo absurdo con la tarde, porque sabía
que no era tu pelo, que el ritmo de la respiración no era
el tuyo, porque no podría encontrar ni siquiera una disculpa.

Marlo, ahora, sí, vámonos pronto, se hace tarde. No
me preguntes, pero ¿sabes? quiero insistir: lo amo. ¿De
veras? ¿Deseas ayudarme? Ya ves, todo es demasiado inú-
til. Yo hubiera querido ayudar a Cristina, *you know.*
She's very nice. Y por si no te has dado cuenta todavía,
no sólo le gustas, está enamorada de ti, y es mi amiga,
la estimo, me cae bien; y no quiero que la imbécil siga
sufriendo por mi culpa. Acepté venir porque quería romper mis ataduras a José Carlos. ¡Qué tonta! ¿No? Y me
he dado cuenta de que lo quiero más. Hubiera querido
no pensar en él y contarle a Cristina que hablaste de ella...

XX

Así se ha cumplido todo,
y ahora en este sitio
somos discípulos de esta noche milenaria y confusa,
de esta música atroz, de esta ciudad, de estas palabras donde
es necesario dejarte y dejarme.

—Salud.

Seguramente se levanta para decir algo, lo que no hemos dicho durante la comida, cuando el silencio se apoderó de nosotros impidiéndonos sacar nuestro ruido. Sostiene su vaso en alto. Por favor, di algo, cualquier cosa, buenos días, papeles, atardecer... algo que me ayude a sostener el peso de tu mirada, de mi deseo.

—A mi regreso, tendré un cuarto donde seguiré trabajando. Tú llegaras todos los días, leerás un poco, fingirás que estudias, me seguirás observando, te morirás de hambre... haremos el amor, hasta que por fin una noche, cuando haya dejado de llover, resolverás venirte conmigo.

—Salud, vuelvo a decir. Tomo mi vaso sujetando también el tiempo, deteniéndolo suspendido, como si fuera apenas un rumor de vida en este sitio del mundo.

Mientras lavo y seco los platos tampoco puedo decir nada; su despedida y la mía. Yo, muda; José Carlos, extraño, mirándolo todo como si quisiera aprenderlo de memoria.

—¿Qué te pasa, José Carlos? Te encuentro raro.

—Es mi encuentro con Europa, los nervios del viaje. Pero no es eso, no. Como si presintiera algo...

—¿Sabes qué me hubiera gustado ser?

—Sí. Actor, director de cine, poeta, cuentista, pintor, torero, novelista, arquitecto, estudiante, doctor.

Esboza su sonrisa fácil; me suelta el cabello y me mira con tranquilidad.

—¿Sabes qué me hubiera gustado que fueras tú?

Lo miro fijamente; me da miedo su respuesta mientras digo que no con la cabeza.

—Todas las mujeres en que me he ido quedando.

Me sugiere movamos los muebles, "como los tenía Héctor cuando me dejó el departamento, para que lo encuentre todo igual a su regreso". Opina que nunca ha sido bueno para hacer maletas y me pide que le ayude. Voy doblando sus camisas y calzones y pijamas y mi soledad y mis esperanzas y mis ilusiones. Acomodo todo con cuidado en la petaca para que no se estropee.

Las palabras empiezan a fluir dulcemente en el calor de la habitación; aquí, el adiós se está cumpliendo. Alguien cambió las reglas del juego y no enloquecí lo suficiente para notarlo. Le pregunto si me ama; no quiero inventar pero estoy viendo en sus ojos la respuesta. Me obliga a recostarme a su lado. La seriedad del momento nos hace apretar. Lo sabemos, seremos enjuiciados por el tiempo.

Su cuerpo y su alma solicitan mi cuerpo y mi alma. Solventados por la tarde, entre las sábanas, somos otra vez ese hombre, esa mujer, en la lluvia, borrados por el acto milenario.

XXI

Compréndanme o no me comprendan si quieren, estoy can-
sado de que me quieran comprender,
estoy cansado de que piensen que todo puede ser explicado,
el aire de perdonavidas de vuestros laboratorios me exalta;
yo no quise comprenderlos a ustedes, quise ser como ustedes
porque les he tenido miedo,
porque les daba la razón, la ponía en vuestras manos como
si ella fuera de ustedes y yo debiera pedirla.

Querida mamá —escribo—, hace semanas que no te pongo ni siquiera unas cuántas líneas y debes estar preguntándote qué me pasa. No, no he tenido mucho trabajo, tampoco he estado enferma y el tiempo que estudio es relativamente poco; pero no sabía como decirte lo que vas a leer. ¡Ah! pero no te asustes que no es nada grave, lo he meditado durante sesenta días con sus sesenta noches y los minutos que van del día de hoy; así que por favor no pienses que de la anoche a la mañana he tomado esta decisión. Te lo digo con las palabras más sencillas que encuentro: Me salgo del departamento del hada madrina (¿estás segura de que fue a mi bautizo?), para compartir uno pequeño con una guatemalteca y una inglesa. ¿Por qué? ¿Por qué aguanté hasta ahora? Sí, ya, en todas mis cartas te dije siempre que estaba feliz, que el hada era tal y como en los cuentos, maravillosa, que nada me hacía falta para disfrutar de Londres y de su lluvia, cada día un poco más. Perdona, mami, siempre te mentí. Al principio porque tú me lo advertiste: "Es una persona muy especial", ¿recuerdas? Te seguí engañando por no mortificarte, desde que llegué mi estancia con ella ha sido muy difícil, verdaderamente insoportable; pero no me había salido por falta de lana y de valor de enfrentarme a ti. Sabes bien que el dinero que tú me envías es casi lo indispensable para mis camiones. Tú así

lo quisiste y no te dije más. Ahora, con el pago de las
clases me alcanza muy bien para la renta del departamento y para mis otras chivas; y créemelo, ya soy una mujer
y puedo vivir sola. Me salgo de aquí porque mi condi-
ción humana me lo exige desde hace meses, porque ya
estoy harta de los chantajes morales de que he sido objeto cada día y porque solamente en la tranquilidad de un
cuarto propio podré decidir mi vida. No quiero que esto
sea un motivo de disgusto para ti; no te preocupes, estaré bien, hasta creo que voy a engordar un poquito. Ya
no soy una niña y he decidido independizarme. Te prometo que seguiré yendo a la embajada, a reportarme de
vez en cuando para que sigan enviándote noticias de mí
y certifiques que realmente estaré bien, mamá. Si quieres romper el hechizo, escríbele al hada y dile que sabes
que me he cambiado y que estás de acuerdo; pero sobre
todo, que me deje en paz.

Me despido como siempre, enviándole mi cariño, sa-
ludos a mis hermanos, y le doy la dirección donde pienso estar, al fin, dentro de una semana y media. Para cuando llegue su contestación, estaré en otro sitio; ahí donde
el viento sopla en la misma dirección arrastrando todo
el polvo que cae sobre la ciudad y que aquí no me deja
respirar.

XXII

*No podemos retroceder, no podemos retroceder resbalando
por aquel aceite de nosotros mismos.*

Si cerrara los ojos, me sentiría en Chapultepec, corriendo a las seis de la mañana como cualquier buen atleta;
pero tengo que enseñárselo a Patricia, quiero que lo vea.
¡Up! *¡Sorry!* Si me he quedado allá, esperando el autobús —hace años que no corro así—, le digo a uno de esos
maniáticos de hacer cola: "Mire, usted, señor. ¿Ve esto
que tengo en la mano? Es un telegrama. Sí, ¡claro! conoce usted los telegramas, pero éste no es uno cualquiera. Es de mi madre. ¿Y sabe usted qué dice? Que me envía ochocientos dólares, como lo oye, o-cho-cien-tos
dólares. No, no es para comprar impermeable y paraguas.
¿Sabe usted para qué es ese dinero? ¡Ah, se lo diré en
el acto! Debo regresar a mi país inmediatamente. Sí, el
que está de moda, el de las olimpiadas, el del mundial
del futbol. ¿Pero sabe usted a qué me da derecho? Nada
menos que a alcanzarlo en Italia, a hacer un viaje en el
que estoy desde hace días, a darle un motivo nuevo de
asombro, a enterrar a mi padre muerto hace veinte años,
a no ir a misa los domingos, a llorar a mis compañeros
del sesenta y ocho, a oír a los pájaros, a disfrutar de la
música, a odiar el ruido del tránsito, a perderme en el
tumulto de Piccadilly, a comprar en Harrods ese vestido, a alcanzarlo para encontrarme". Después ese caba-
llero hubiera cambiado de cola para alejarse rumbo al
pub de los muelles, a contar que una extranjera medio
loca le vendía boletos para ir al mundial de futbol. Lo
peor es que sé que me va a rebasar el autobús y yo aquí
corre y corre. Cuando lo oiga acercarse, apretaré los ojos
y tendré la seguridad de que en él va ese señor que se salvó de mi discurso.

Casi no tengo fuerzas para subir. Vengo rendida. Patricia sale a ver quién llama y se extraña de verme a punto de tirarme en las escaleras.

—¿Pero qué te pasa, mujer? Jadeas como perro.

—Lee, mira pronto lo que dice —le digo soltando el papel que tiembla en el aire.

—Y ahora, ¿qué piensas hacer?

—Irme a Italia a alcanzarlo y mandar todo al carajo.

—¿Ahora mismo?

—No. Hoy no puedo, tengo que entregar mañana las calificaciones. Pasado mañana, en avión.

—¿Y tu tía?

—Ni media palabra.

—¿Y tu madre?

—Le hablaré por teléfono de Italia. ¡Ni modo! Tendrá que aceptar mi situación y si no me perdona, pues ojos que no ven...

—Pero entra, entra un...

—No. Me voy derechito al banco, a ver si llegó el dinero.

—Que se me hace que buscaré "sonuantuchermaiflat" —me dice en un tono burlón y veo la alegría que siente por mí.

XXIII

*Una palabra, una historia arremansada en sus aguas como
un barco que va a ser carenado,
una historia de amor desgarrada y zurcida después convenien-
temente...*

*La ventana da a la tristeza.
Apoyo los codos en el pasado y, sin mirar, tu ausencia me
penetra en el pecho para lamer mi corazón.*

Ahora sí, nada podrá detenerme. Con el boleto en la
mano, subo, recojo lo que pienso llevar, doblo el resto
de mi ropa para que *ma tante* (estoy tan contenta que
hasta en francés vengo hablando), no tenga sospechas
cuando regrese de su oficina y... Pues no sé qué tanto
puedo dejar porque ya casi me he llevado todo a casa de
Patricia. Bueno, de todas maneras, donde se le meta en
la cabeza no dejarme sacar mis pocas chivas de aquí después, me dará en la torre. Pensándolo bien, qué más da,
nada puede opacar mi alegría en estos momentos.

—*Good morning miss. Have you forgotten something?*
¿Qué le digo?

—*I have to take my cothes to the laundry.*

—*You do look very happy this morning. We all like
to see you in that mood,* susurra mientras llama el as-
censor.

—*Thank you, Mr. Wolpert.*

He estado a punto de darle un beso y de decirle que
soy inmensamente feliz. Mr. Wolpert, lo voy a extrañar...
Arreglaré mi equipaje cuanto antes, pondré el vestido
amarillo que tanto le gusta; cuando me vea llegar no lo
va a creer. No me voy a trenzar el cabello y se sentirá
feliz de jugar con él, de decirme que es como la noche.
Sentados en uno de esos cafés al aire libre, me contará
que en España se encontró en una venta con un caballe-

ro andante y unas damas del partido. José Carlos, vieras
qué bonito llueve allá afuera, apenas un poco, como si
la lluvia no quisiera estorbar en mis planes, y ¡es prima-
vera! ¿Verdad que en mí hay algo tuyo? Después iremos
de la mano por las calles de esa otra ciudad y comenzaré
a imaginar en silencio el instante próximo de estar en el
cuarto de hotel: yo mujer. Haremos el amor en una cama
que no es nuestra. Después de haber dormido por horas,
abrirás los ojos, pondrás la sábana sobre mi espalda des-
nuda y te diré entonces que no voy a vestirme, que esta
noche puedo quedarme. Así, ocultaremos mi desamparo en un rincón del silencio y nuestros cuerpos serán otra
vez remolinos; nosotros, sueño, lluvia. Hablaremos de
México, de tus hermanas, de nuestros muertos: tu madre, mi padre y su proximidad a los tuyos. Esbozarás una
sonrisa fácil, alabaré tu mirada infantil, insistirás en tus
intentos del pasado, en tu encuentro con la realidad. Me
contagiarás tu amistad a Pellicer, tu admiración por Le-
zama Lima; de Hugo diremos que es genial, tu palabra
favorita. Abrirás la ventana y pensarás otra vez algo de
mis ojos y de mí-mujer y de mí-niña. Más tarde saldre-
mos a caminar y luego te diré: "Sabes, José Carlos, he
decidido vivir contigo. No importa que no nos casemos,
viviremos de tu beca y de mis clases. Voy a trabajar y
tal vez con el tiempo también escriba. Soy libre para que-
rerte y un día tendremos un hijo, así, como lo has imagi-
nado, y conocerá tu ciudad, tus poemas, tus asombros,
tu descubrimiento del mundo". José Carlos, para llegar
a ti, sólo tengo que tomar ese avión.

Al salir del elevador, me cruzo con la señora McDonald que saca a su perrito como siempre a esta hora. Aquí
los perros tienen más privilegios que nuestros niños.

—*Good morning, Mrs. McDonald* —digo y silbo cari-
ñosa al cojincito de lana que menea contento la cola.

—*Good morning, dear. Could I ask you a big favour
again?*

—*Of course, Mrs. McDonald.*

—*We are not going to be in this afternoon. Could you*

take my little Spoon out, at six, you know...

—*Of couse, Mrs. MacDonald. Dont worry, just ask Mr. Wolpert to open the door and little Spoon will be out this afternoon.*

—*Thank you, dear. Oh, thank you, dear!*

—Ni remedio, el pobre Espuncito se va a mear a las seis, ni un minuto más ni un minuto menos, en la sala, en la cocina, en la recámara, en ella y en todas sus cosas; y cuando la señora McDonald regrese, hablará con todo derecho sobre la informalidad de los mexicanos.

—¡Válgame, Dios! Sólo esto me faltaba: el ruido de la aspiradora. Debe ser Esperanza, la sirvienta de la embajada, la que habla hasta por los codos haciendo su plática ceceante y silbadora, la gallega. Esperanza, viera usted cuántas veces deseé que en lugar de venir cada quince días a escondidas de la embajadora, a hacer la limpieza, viniera usted al menos cada tercer día. Y no precisamente porque me diera flojera la barrida y la sacudida, sino por su hablar entre dientes de esa virgencita de la Macarena que tanto quiere usted, y porque me recordaba a mi nana que siempre estaba allí cuando yo me sentía triste. Pero hoy, Esperanza, precisamente este día en que soy tan feliz, no me gusta verla. Si supieras, José Carlos, las que estoy pasando, mientras que tú, te estoy viendo escribir, abrocharte el abrigo, enroscarte la bufanda roja, caminar por un parque, sentarse en la tarde a contar tus asombros. Al llegar me dirás: "¡Ves qué fácil!", y no sabrás de mis nervios, de mi miedo a ser sorprendida, a ser débil. Ahora que te cuente que todos los días me atormentaba diciendo: "Lo dejé ir haciéndome mil cuentos, cuando no creí en el riesgo de la lluvia. Su adiós fue una ruta hacia mi olvido, tuve miedo de confundirme en la sombra y darle a mi cuerpo el silencio de lo oculto, de lo no convencional", (como me dijiste). Ahora que te cuente todo esto nos vamos a reír, ¿verdad, José Carlos? Ya no hay tristeza en nosotros; me llevaste a tu viaje y corremos con el agua en la misma dirección.

Oiga usted, Esperanza, haré como si... trataré de ser

natural; lo único malo es que cuando me busquen, ella va a contar que me vio salir de la jaula volando. A ver cómo la entretengo mientras hago la petaca, y luego, ¿cómo salirme equipaje en mano? Le echaré también el cuento de que tengo mucha ropa sucia y que me acomodo llevándola en la maleta a la lavandería.

—¡Señorita! Buenos días. La vez pasada no la vi. ¿Qué milagro que regresa temprano de la escuela?

—Buenos días, Esperanza. Es que tengo mucha ropa sucia y...

—Hace tiempo que no la veo por la embajada; ya no se acuerda de sus amigos, y mire que por allá se le quiere bien.

—Es que no coincidimos, Esperanza.

—Acabo con el ruido en un momento.

—Guardaré primero lo más nuevo que tengo, mi camisón rosa. *"You've made me so very happy; I'm so glad you came into my life"*, yo cante y cante y ¿si esta vieja suelta el chisme antes de que salga mi avión? ¿Y si le pido que vaya a comprar algo mientras echo todo a la maleta aunque sea revuelto y luego la pongo en el cuartito de cachivaches que está junto al elevador? Esperanza, ¿tenía usted que venir hoy? Así, cuando regrese le digo que vuelvo a la escuela y como si no hubiera pasado nada. Mira, José Carlos...

—Esperanza, ¿podría hacerme un favorcito?

—Con mucho gusto, señorita.

—Me duele la cabeza. ¿Podría ir a la farmacia por unas aspirinas? ¿Sí? No sea malita.

—Ahora mismo. Ya me imagino cómo se sentirá usted con lo que oí decir ayer... Y parece que es todo un lío, ¿no es así?

—¿Qué oyó decir? ¿A qué se refiere?

—No se preocupe, estoy enterada de que no le simpatizaba a su tía. Usted ha de estar muy triste; no haré ningún comentario delante de ella.

—¿De qué habla, Esperanza? ¿De qué habla?

—¿De qué sino del accidente que tuvo su amigo?

Suelto lo que tengo en las manos.

—¿Accidente? ¿De qué amigo?

—¿No lo sabe usted? Voy por sus medicinas —responde nerviosa al quitarse de encima mis manos.

—Esperanza, por favor, déjese de misterios.

—Voy corriendo primero por sus pastillas porque se me hará tarde y me van a regañar en la embajada.

—¿No ve cómo me ha puesto?

—¡Ay, señorita! Su amigo el escritor, ese señor a quien según parece todos querían tanto, sufrió un accidente.

—¿José Carlos? —pregunto. ¿José Carlos Becerra?

Viene hacia mí asintiendo con la cabeza. ¿Me estará engañando? ¿Pero de dónde iba a sacar eso?

—¿Dónde está? ¿Cómo está?

—¡Ay, señorita! También dijeron que el señor murió instantáneamente, en ese sitio, no recuerdo el nombre.

—No puede ser, oyó mal, Esperanza. Ya me hubiera avisado la señora Lucinda, ¡nadie me ha dicho nada!

—No le vaya a decir a su tía que yo se lo conté. El joven ése, que Dios lo tenga en su gloria, ha muerto, y lo decían muy tristes... El problema es llevar su cuerpo a México porque...

—José Carlos, ¡José Carlos! ¡JOSE CARLOS! ¡José Carlos Becerra!

—¡Señorita! ¡Señorita!

—Sí, Esperanza, comprendo. José Carlos ha muerto, ¿verdad? Se murió. Ya lo entendí...

Indice

La mañana debe seguir gris

se terminó de imprimir en
junio de 1993 en los talleres de
Multidiseño Gráfico, S.A.
La edición consta de 1,000 ejemplares,
más sobrantes para reposición.